コンセプトメイキング

CONCEPT MAKING

変化の時代の発想法

高《たか》橋《はし》宣《のぶ》行《ゆき》

designer　三木俊一＋山原望（文京図案室）

「感じる」から、変われる。

知識を得るだけの本でなく
「感じる本」を目ざしました。

•

感じることは、気づくこと。
気づけば、動きます。
動けば、
人は大きく変わります。

•

変わるために、背中を
トーンと押してあげたい。

変化の時代の発想法―「コンセプトメイキング」

この本の「コンセプト」を、コンセプトメイキング風にチャート化し、右の図にあるように言葉化してみました。

●

もともと「コンセプト」は、新しい視点を、ユニークな主張を、独自の提案性を強く持った言葉です。しかし、最近、どうもここがぼやけています。広く使われるようになったわりには、その強い意志が伝わってきません。

単なる目的であったり、アイディアレベルのようなものであったり…。そこで私流に、「コンセプト」に光を当ててみました。

●

いまのIT化社会は「変化すること」を宿命のように求められる時代。ドラッカー氏は「生きることは、変わることだ」と、そして経団連の御手洗会長は「21世紀、企業に求められる力は、変化対応力だ」と言っています。

●

と、考えると、まさに「コンセプト」こそ、いまの時代に求められている発想法。しかも、この概念には「優劣を競うのではなく、人との違いを創る新しい視点の競争」という意味合いがあります。ビジネス社会でオンリーワンを目指すためには、「コンセプトメイキング」は欠かせません。

●

しかし、やっかいなことに「コンセプト」づくり自体、とてもクリエイティブな作業です。ロジックを組み立てるだけでは創れません。理性と感性の共同作業です。そこで、あらためてこの発想法の、原理・原則とコツを「コンセプトメイキング」として、まとめてみました。

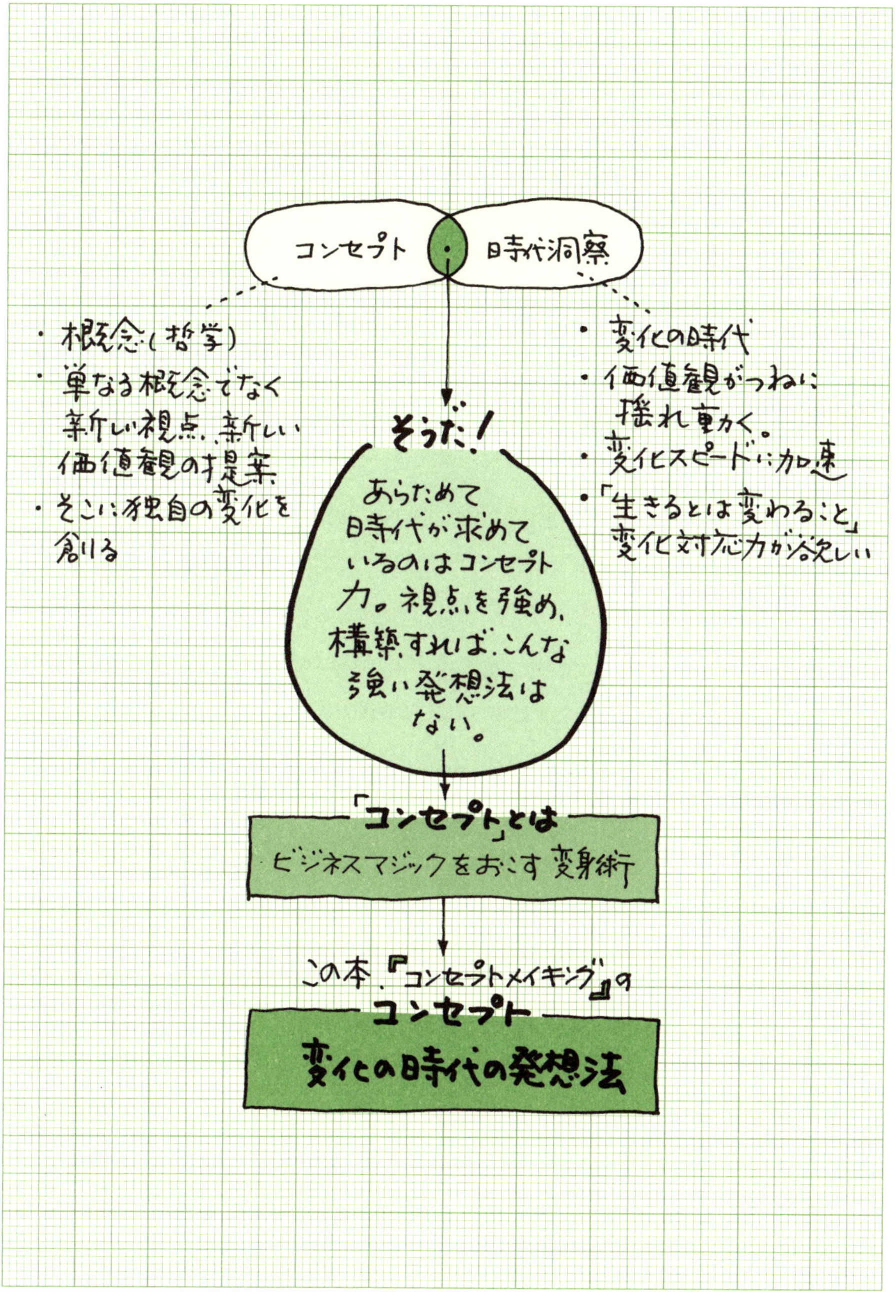
コンセプト
時代洞察
・概念（哲学）
・単なる概念でなく新しい視点、新しい価値観の提案
・そこに独自の変化を創る
・変化の時代
・価値観がつねに揺れ動く。
・変化スピードに加速
・「生きるとは変わること」変化対応力が欲しい
そうだ！
あらためて時代が求めているのはコンセプト力。視点を強め、構築すれば、こんな強い発想法はない。
「コンセプト」とは
ビジネスマジックをおこす変身術
この本『コンセプトメイキング』の
コンセプト
変化の時代の発想法

「知ること」から、さらに「感じる本」へ

世の中にはいろいろな発想法の本があります。今回は、「コンセプト」という、人間で言えば背骨を作ることにたとえられる、モノゴトの「核づくり」をテーマにしてみました。これを「知識を得る」ことにとどまらず、身体で感じられる発想法の本にならないか、と試みたのです。

知識は、頭で理解することだけでなく、それを感じ、自分の身体に一度とおすことで定着していくからです。私たちは、つねに知識をどう知恵に置き換えるかを求められています。知っているだけでは、人は感動しません。もちろんビジネスにもなりませんし、自分の達成感にもつながりません。

「感じて、ジャンプ！」です。感性が問われています。新しい発想へ、さらにひとつ飛躍しないといけません。とにかく、ジャンプすることです。職人の世界で言えば、親方の背中を眺め、手順を憶え、コツを必死に探す。盗む、閃きを待つ。「そうか！ ここがコツだったのか」と。ここでジャンプ！

今回は、各業界の親方の技を感じてもらえるよう、それぞれの企業のコンセプトメイキングの実例を引っぱり出してみました。創られた方の戦略が読みとれます。ぜひとも、そのコツを感じてください。

「これでもか、これでもか、コンセプト」

これでもか、これでもか、とばかりにPARTⅢではキーワード（言葉化）を中心に実例を並べました。新聞や雑誌、テレビなど各メディアからピックアップしたものです。発想の転換、飛躍の仕方、価値の創り方など、右のヒントのようにピピーッと感じていただけたら幸いです。

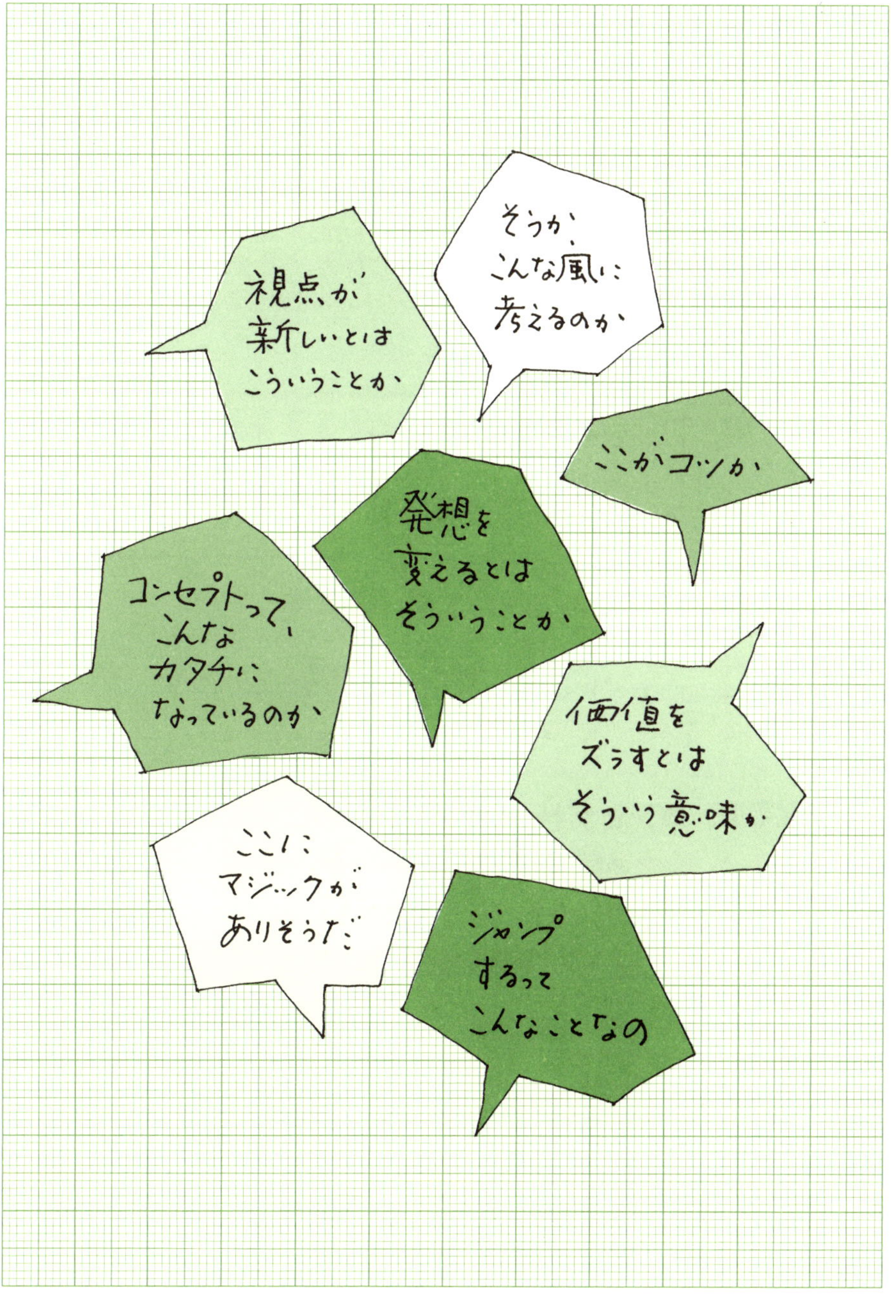
視点が新しいとはこういうことか
そうか、こんな風に考えるのか
ここがコツか
発想を変えるとはそういうことか
コンセプトって、こんなカタチになっているのか
価値をズラすとはそういう意味か
ここにマジックがありそうだ
ジャンプするってこんなことなの

コンセプトメイキング 目次

変化の時代の発想法

PART I

いま、なぜ「コンセプト」か？

1 「生きる」とは「変わる」こと

私は（ヒント1）のような図式を頭の中に描いて、この本を書いてみました。今世紀のIT化がもたらす変化・変革の時代は、誰も異存のないところ。この環境下、「生きる」とは「変わる」ことと、あのドラッカー氏は言い続けています。モノ余り社会が進化するほどに、あらゆるモノ・コトに大きな価値観のズレが生まれます。根底から大きく動いているのに、そのまま変わらないというわけにはいきません。古くからある概念を打ち壊し、時代のニーズに合わせていこう……というのがいまの変化の時代なのです。

その変化も、個性ある差別化、つまり**「人と違う変化」**です。オリジナル性を持ち、世の中にウズを巻き起こし、さらに持続的にイメージを高めていく……。そんな総合的な「考えと行動」を合わせ持った、戦略的な発想がどうしても必要になってきました。

「コンセプトメイキング」は、変化の時代の発想法

固有の価値観を持ち、独創的な提案性と戦略を持つ「コンセプト」が命運を握っています。激しい市場競争の中で、どうしたら揺れない、ブレない「行動の核」を創れるのか。企業も人も生き方も、どうしたら変化の波に振り回されずにすむのか。すべての生き方に効くのが「コンセプト」です。**「コンセプトはコンパス（羅針盤）」**と言われ、コンセプトのない企業はコンパスなき航海を強いられているようなもの。すべての行動の指針づくりとなるのが、「コンセプトメイキング」なのです。

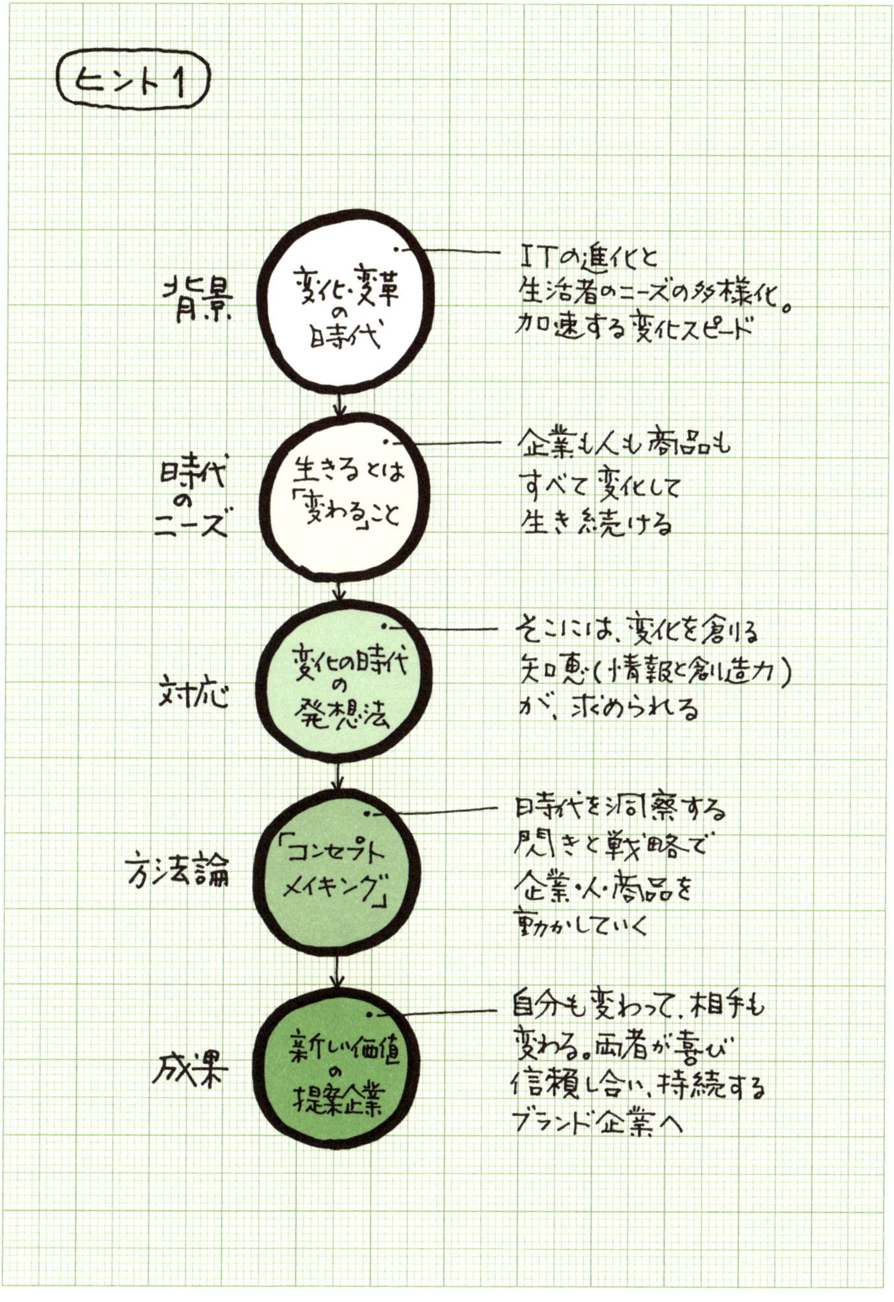
ヒント1
背景
変化・変革の時代
ITの進化と生活者のニーズの多様化。加速する変化スピード
時代のニーズ
生きるとは「変わる」こと
企業も人も商品もすべて変化して生き続ける
対応
変化の時代の発想法
そこには、変化を創る知恵（情報と創造力）が、求められる
方法論
「コンセプトメイキング」
時代を洞察する閃きと戦略で企業・人・商品を動かしていく
成果
新しい価値の提案企業
自分も変わって、相手も変わる。両者が喜び信頼し合い、持続するブランド企業へ

2 すべての物語《ストーリー》は「コンセプト」から始まる

いままでのビジネスは「コンセプト」を意識しなくても成立してきました。

モノ不足の時代…競争もなく、モノの特長やメリットを語り、企業の都合に合わせてビジネスをすればよかった時代です。

モノ充足の時代…競争でひたすらナンバーワンを目指してきた時代。

モノ余りの時代…社会が成熟して価値観の多様化が進み、それに合わせた価値の提供が必須…オンリーワンの時代です。

いまや「市場や生活者の都合に合わせたビジネス」でないとやっていけなくなりました。ほんとうの顧客本位のビジネス社会の到来です。

まさに、すべての価値観の見直し

古い習慣、常識、価値、ルールを見直し、新しい概念を組み立て直すのが急務です。「時代が変わっているのに、いまのままでいいのか」「人の気持ちが動いているのに、同じ考え方でいいのか」。企業も組織も人もモノも、あらゆる対象物の価値が問われています。ヒント2をイメージしながら考えてみてください。求められている価値観を持っているか、どうか、を。

新しい行動のシンボルが欲しい

「イノベート・ジャパン＝日本中、いたるところを革新しましょう」と言う大合唱が起きています。それも創造的破壊をもって…。大げさに書きましたが、これは単なる概念を、価値観を変えることにとどまりません。それに合わせて、新しい生き方、市場導入の仕方、メッセージを提案し、渦を巻きおこす。それにはコンセプトの見直しです。「コンセプトメイキング」しましょう。ビジネスにマジックをおこす変身術なのですから。

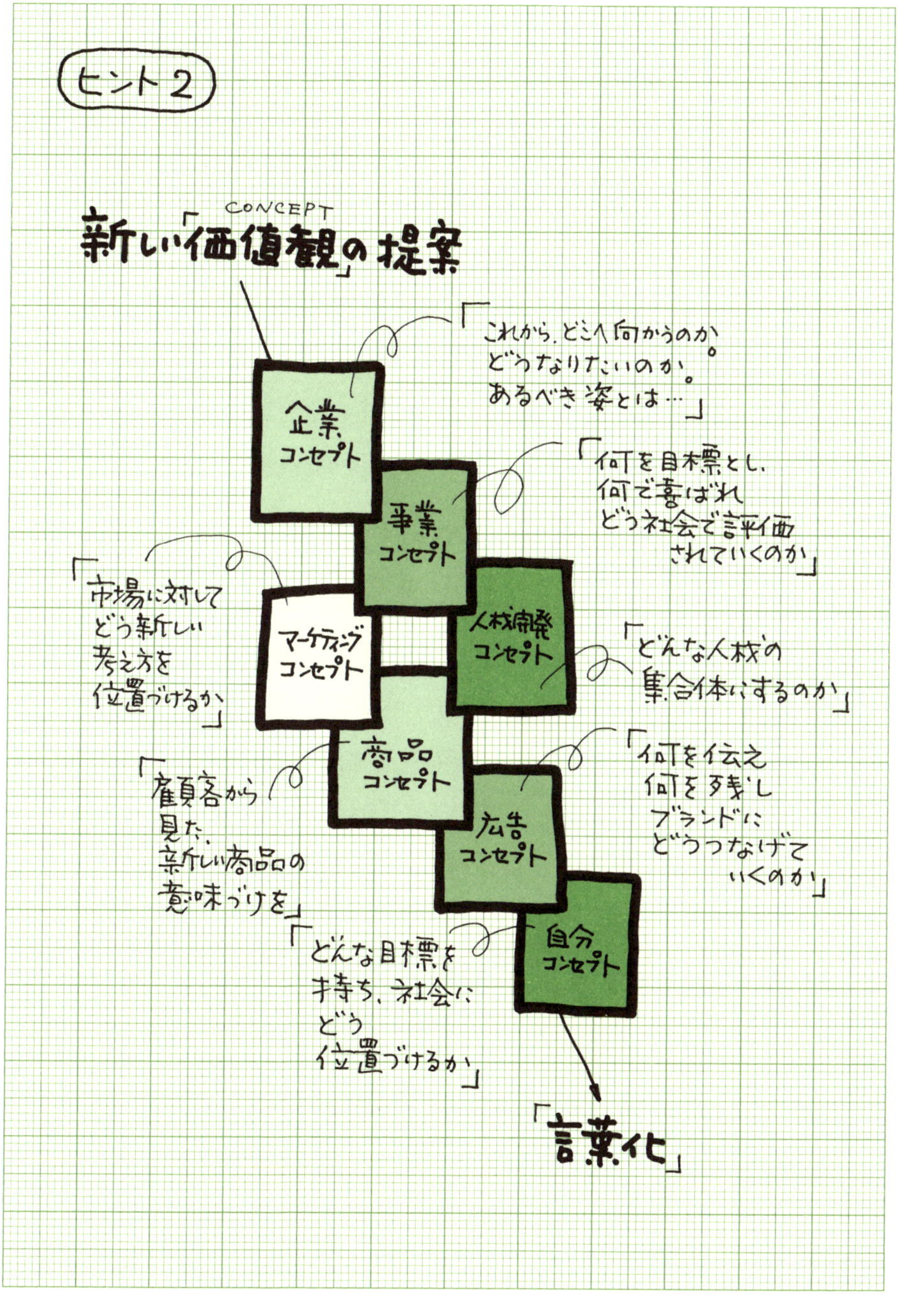
ヒント2
新しい「価値観《CONCEPT》」の提案
「これから、どこへ向かうのか。
どうなりたいのか。
あるべき姿とは…」
企業
コンセプト
「何を目標とし、
何で喜ばれ
どう社会で評価
されていくのか」
事業
コンセプト
「市場に対して
どう新しい
考え方を
位置づけるか」
マーケティング
コンセプト
人材開発
コンセプト
「どんな人材の
集合体にするのか」
商品
コンセプト
「顧客から
見た、
新しい商品の
意味づけを」
広告
コンセプト
「何を伝え
何を残し
ブランドに
どうつなげて
いくのか」
自分
コンセプト
「どんな目標を
持ち、社会に
どう
位置づけるか」
「言葉化」

3 これから、ビジネスで一番求められる「コンセプト力」

PARTⅡで詳しく「コンセプト」についてお話ししますが、ここでは「コンセプト」の役割を再認識していただきます。

ヒント3 のように、いまでも単なるテーマやアイディアレベルでこの言葉を使われている方がたくさんいます。しかし、「モノ余り社会」「競争社会」「個性化社会」と、時代のキーワードを並べると、うかつにコンセプトは考えられません。かなり重い、力のいるオリジナルな仕事。だからコンセプトメイキングには、大きな達成感、快感がついて回るのです。

モノゴトを動かす中心の考え方

企業を、市場を、商品を動かす中心の考え方である「コンセプト」を創るには、理性と感性のすべてが求められます。それは、究極の「創造的仕事」と言えましょう。情報を収集し、分析し、イメージし、仮説を立て、全体の戦略を視野に入れながら、言葉化していく仕事だからです。また、すべての行動の素となる、中心的な考え方を創ると同時に、「先につながるアイデンティティづくり」も求められています。そこには、アートとロジックの両面から発想する、個人の総合力が必要なのです。

多少、コピーライターが頼りにされたのも…

コピーライターは単にコピーを書くことが仕事ではありません。得意先企業の商品の売り方、市場での戦い方、企業の生き方（ブランディング）等を求められるようになっています。それに応えるためのスキルアップは欠かせません。ですから「コンセプト」を創ると、仕事の大半は終わった、という気分になります。とてもアイディアレベルの作業…とはいきません。

ヒント3

「コンセプト」に求めるものが変わった！

昔

概念、→ 単なる機能説明、メリット、特長、アイディア、考え方、目的 他

⇩

今

① 新しい視点、新しい概念

② オリジナルで、差異化がある

③ 求心力があり、周りを巻き込む

④ 戦略的で、全体を動かす力

⑤ さらに展開し、持続する。

①～⑤が求められる「行動の中心的考え方」

4 広告会社は、「コンセプトメーカー」へ

私は40年近く、広告の仕事に関わってきました（大半が博報堂でしたが）。その間、いろいろな変化を見てきました。しかし、時代が変化しても仕事の大半が課題解決であり、「考えること。創ること」。その基本姿勢は「人と違うことを考え、人と違うものをどう創るか」です。

ヒント4にあるような悩みに対応していきます。各社各様、どれひとつとして同じ課題はありません。そして、作業の中心となるのが「コンセプト」です。すべての仕事は、このコンセプトメイキングから始まります。当然、先ほど書いたテーマやアイディアレベルでは解決することができません。全体最適から組み立てた「核」が不可欠な時代にきています。あらゆる考え方の中心、行動の中心としてのコンセプトメイキングが必要です。人間のしっかりとした背骨を作るのと同じように、骨太で揺るぎない「核」が。

博報堂はソリューションサービスのパートナーに

博報堂の仕事はコンセプトメーカーであり、知恵の生産会社とも位置づけられます。コンセプトをキーにして、生活者と得意先の喜びにつながるソリューションサービスNO.1を目指している会社です。そのために、得意先に対して変化を求めていきます。この環境の中で、将来にどうつながる変化がベストなのか。生活者と企業のまん中に入って、両者が喜び合う情報価値を提供していくのです。すべてはコンセプトから。商品も工場もない博報堂にとって、ここをハズしては成り立ちません。

すべてモノゴトの始まりは、「コンセプト」

PARTⅢの事例をとおして、「コンセプト」がすべての牽引力、核、競争力になっているか。それを後半の章で感じとってください。

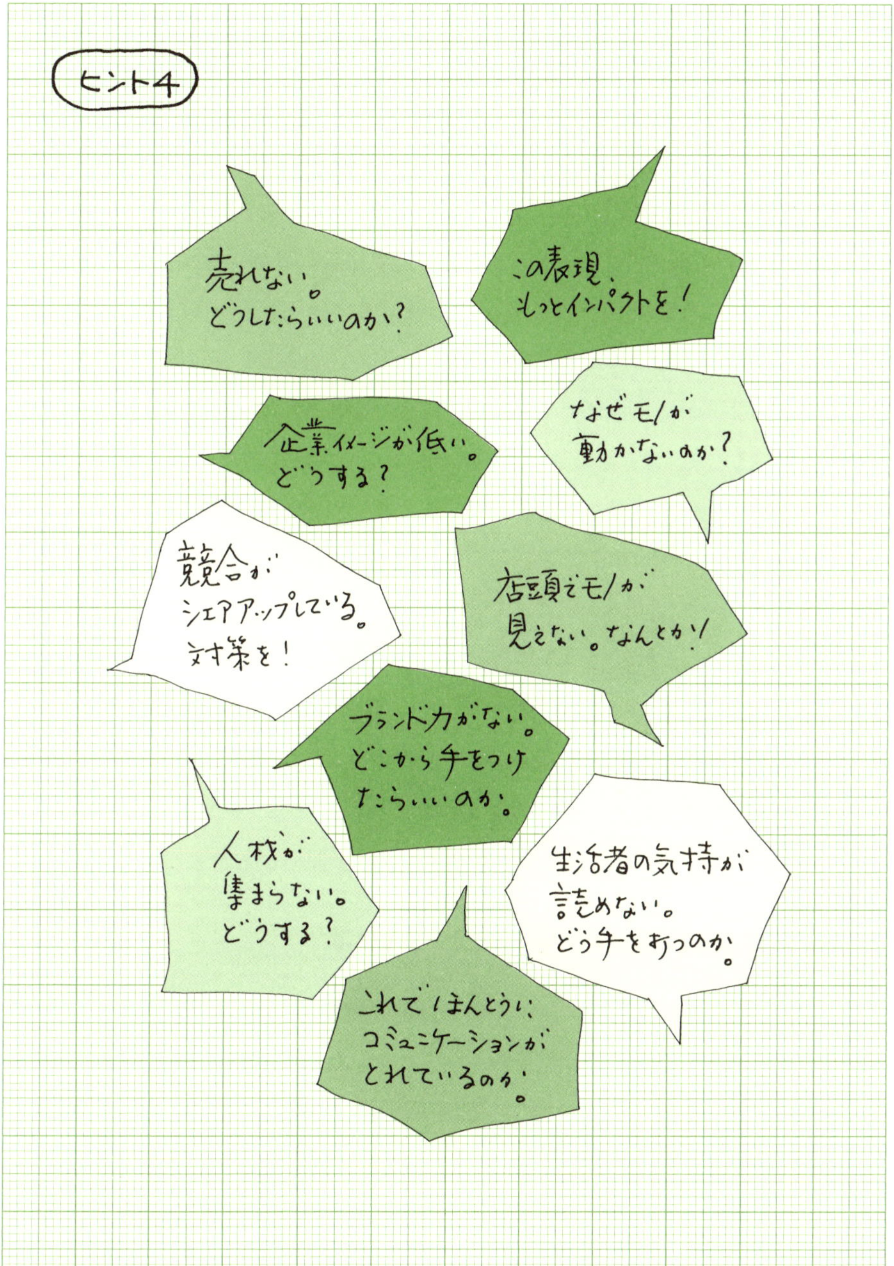
ヒント4
売れない。どうしたらいいのか？
この表現、もっとインパクトを！
企業イメージが低い。どうする？
なぜモノが動かないのか？
競合がシェアアップしている。対策を！
店頭でモノが見えない。なんとか！
ブランド力がない。どこから手をつけたらいいのか。
人材が集まらない。どうする？
生活者の気持が読めない。どう手をうつのか。
これでほんとうにコミュニケーションがとれているのか。

5「コンセプト」は、マジックをおこす変身術

「驚きと感動」を与えるマジックのように、「コンセプト」もビジネスマジックをおこす楽しさや快感に満ちています。コンセプトメイクは苦しいけれど、とても楽しい時間です。つねに好奇心を抱き、挑戦する気分で向き合います。そんな想いを持ちながらの仕事ですから、毎日が新鮮でした。それは相手の期待をどう超えるか、自分との戦いでもあるのです。

コンセプトができあがると、まるですべてが終わったような快感が味わえます。ほんとうは、その後の展開といかに持続させるかに、多くのエネルギーがかかるのですが。でもコンセプトメイクは、個人作業に近く、頭の中で想いめぐらす楽しさがあるからでしょう、一番ハッピーな時間です。

1人1人が魔法の使い手になりましょう

「コンセプト」という魔法の杖を手にし、時代の兆しをパッと感じ、新しい価値観を提案し続けましょう。そのためにPARTⅢ『「コンセプト」のカタログ』で実例を読み込み、PARTⅣ『どう創る？「コンセプト」』で進んでいきます。マジックの種は簡単。あとはあなたが面白がるかどうかです。

ビジネスマジックを おこすとは…

（ヒント5）を見てください。いままでの遊園地の概念から発想を変えてリゾートパークへと大変身。ビジネスマジックをおこすとは、このように概念・常識を大きく変え、新しい喜びや価値観を提供することです。そしてマジックをかけ続けることによって、企業と生活者とのいい関係を持続させることにあります。単に言葉やイメージやモノを変えることだけではありません。双方が変化を楽しみ、喜び合えることに360度目くばりし続けるのです。

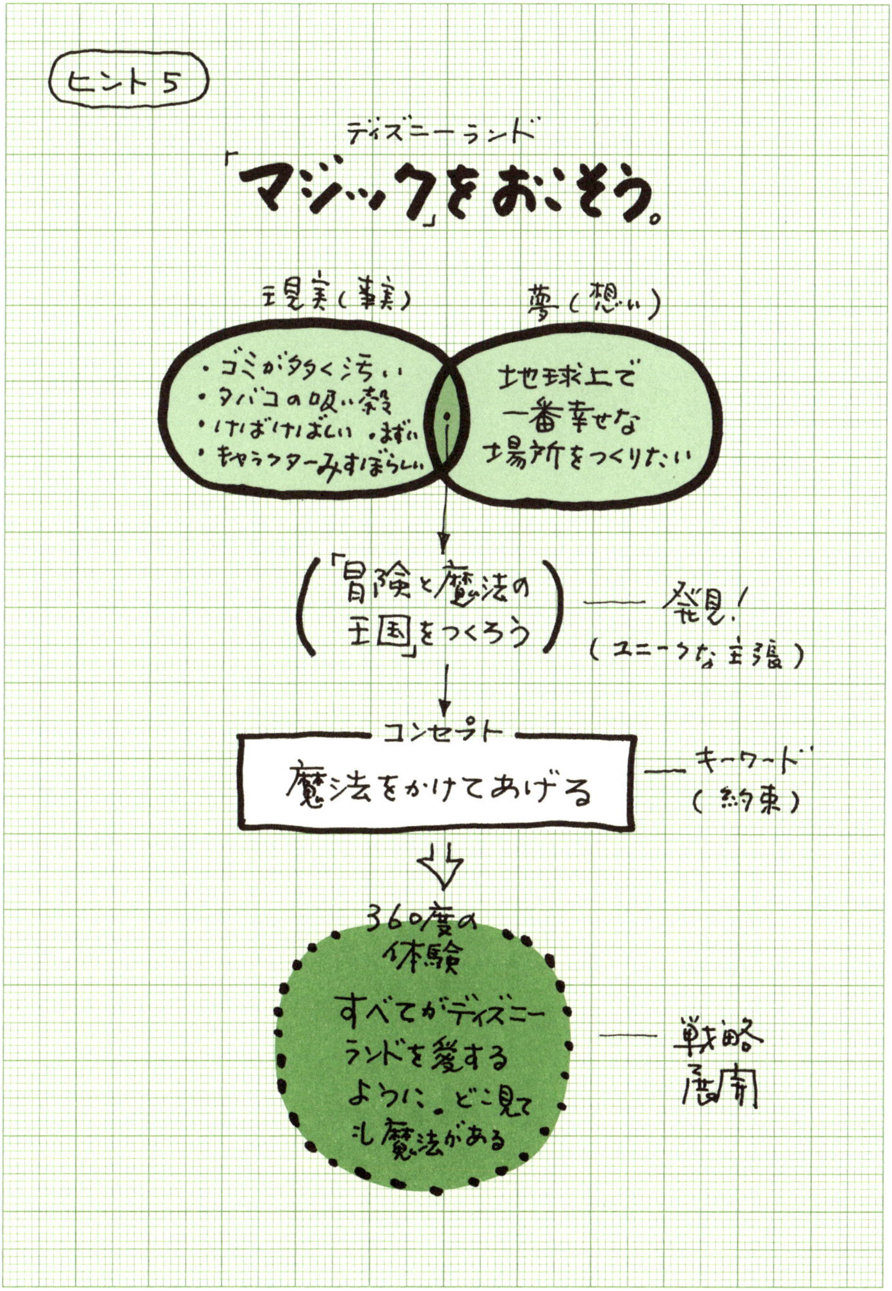
ヒント5
「マジック《ディズニーランド》」をおこそう。
現実（事実）
夢（想い）
・ゴミが多く汚い
・タバコの吸い殻
・けばけばしい　・まずい
・キャラクターみすぼらしい
地球上で
一番幸せな
場所をつくりたい
「冒険と魔法の
王国」をつくろう
発見！
（ユニークな主張）
コンセプト
魔法をかけてあげる
キーワード
（約束）
360度の
体験
すべてがディズニー
ランドを愛する
ように、どこ見て
も魔法がある
戦略
展開

PART Ⅱ
「コンセプト」って、何だ？

1 あらためて、「コンセプト」とは

いま、「コンセプト」という言葉が、経済的文化的活動はもとより、広く暮らしの中に入り込んできています。しかし、コンセプトとは何か、とあらためて問われると、正確に答えるのが難しいですよね。日常的に曖昧に使われ、その解釈も場面によって異なっています。そして、皆お互いに漠然と納得しているのでしょう。

PARTⅡでは、あらためて「コンセプトとは……」をひも解いてみました。もともと哲学用語の「概念」を意味するのですから、曖昧に解釈されるのもムリはない（?）かもしれません。しかし、時代とともにコンセプトの持つ意味・役割が、もっとアグレッシブになり、「再生・再構築」がゴールになっています。ここで確認してみましょう。

新しい発想があるから、「コンセプト」

（ヒント6）で、辞典における「コンセプト」の定義を書き出してみました。各辞典の①「（哲学用語）概念、その他発想、着想」は共通ですが、少しずつ異なる解釈がそれぞれに加わっています。ただ、すべての定義に言えることは「概念」を破壊し、「新しい概念に創り変える」という意味があること。コンセプトは、「概念を変える」ところに軸足が置かれています。整理すると、

① 既成概念を壊す。

② 新しい視点で価値観を創る。

③ 全体をつらぬく骨格となる考え方とする。

④ 活動のすべての指針とする。

要するに「コンセプト」とは、概念、着想にとどまらず「時代が求める新しい価値観の提案であり、その考えはすべての行動の指針となる」と定義してみました。

ヒント6

【コンセプト】

concept

コンサイス　外来語辞典

①（哲）概念　②（広）既成概念をうち破る新しい観点、考え方

広辞苑

① 概念 ② 企画・広告などで、全体を貫く統一的な視点や考え方

大辞泉

① 概念、観念 ② 創造された作品や商品の全体につらぬかれた骨格となる発想や観点。

学研 国語大辞典

①（哲）概念 ② 発想・意想 ③ 広告で既成の観念を破る新しい発想 ④ コンセプトアートの略

2 ビジネスは「コンセプト」から始まる

仕事の始まりは「コンセプト」を創ることから。情報を集め、分析し、仮説を立て、中心となる新しいアイディアを考えていく……。そして、そのコンセプトをまん中にして、人も作業も、いっせいに動いていきます。広告で言えば、表現もメディアも販売促進もPRも、吸い寄せられるように、ここに集約されます。「どの方向に向かうのか」が、コンセプトにあるからです。

コンセプトは「企画のへそ」

企画の核となるコンセプト——それは「企画のへそ」とも言われるもので、よく先輩が口にしていました。「この企画、へそがないぞ。へそが!」要するに企画の中で一番大切な発想の核であり、全体をつらぬくアイディアに欠けているからです。つまり、この企画は「何が言いたいの?」「どうしたいの?」「どうなりたいの?」ということ。この指針となるコンセプトが欠落すると、すべての方向が見えません。当然、ビジネス活動のあらゆる局面で、コンセプトが確立されて初めて、仕事はスタートするものなのです。

例えば、「企業コンセプト」

「これから、どこへ向かおうとしているのですか？」「これから、どうなりたいのですか？」「将来のあるべき姿をどう描いているのですか？」

変化の時代、この「指針」なくしてブレのない経営など不可能です。

［企業コンセプト］とは以下のこと。あなたの会社にもあるはずです。

- 新しい方向づけを内側から支え、社員共通の目指す方向として全体をつらぬく指針
- 事業、組織、姿勢、活動、コミュニケーションなど、すべての企業活動を串刺しにする中心の考え方

［商品コンセプト］ ヒント7 とP.54で詳しくお話します。

ヒント7

「コンセプト」とは。

① いわば企画という新しい「何か」を内側から、しっかりと支える脊髄のようなもの、と、イメージする。
「商品コンセプト」とは、その商品がユニークに満たすニーズのこと。

服部 清氏（元味の素）

② 概念。案、切り口、視点、もくろみ、観点
その商品が持つ意味を発見し、どの部分をクローズアップするか、ということ。

関沢英彦氏（元・博報堂）

③ 概念。非常に強い意志、思い込み、こだわり、希望、オリジナルなもの。そこには完成させたいという、強烈な意志がなければ…。

鳥井道夫氏（サントリー会長）

3「コンセプト」って、こんなカタチ

(ヒント8)にある基本型を頭の中に入れてください。これがコンセプトのカタチであり、コンセプトメイキングの流れ（ステップ）にもなっています。

ここでは、これからの「考える・創る」作業の全体的イメージをご理解いただこうと図解してみました。アイディアとか発想とか、抽象的で定形化できないのは、コンセプトも同じです。しかし、あえて考え方の流れがヒントにつながれば…とカタチにしてみました。（PARTⅣの『どう創る？「コンセプト」』で詳しくお話しします。）その4つのステップですが…

A. 企業のフィールド「現状認識する」

いま、企業は。商品は。競合は。市場の環境は。流通は。何が問題か。強みは、弱みは…とテーマに合わせて現状を分析し、認識します。

B. 時代のフィールド「洞察する」

時代は、世の中は、どう動いているのか。人は何に興味を持ち、どう変わろうとしているのか。何故人は買うのか、買わないのか…と社会の動き、人の動きを洞察し、新しい予感を生み出します。

C. 閃き！「発見する」

AとBを交差させながら、自分の持っている力（現状）と将来への夢やロマンとの接点を探します。イメージする、仮説を立てる、直感からの新しい発見につなげる。ひたすらジャンプ！　発想の転換です。

D. コンセプト「言葉化する」

コンセプトとは、新しい視点を持った言葉です。新しい主張を内外にコミュニケート（伝達）し、大きな活動の核としていく。ムーブメントをおこすためにも言葉化が重要です。魅力的なキーワードは人を集約し、さらなるパワーを創り出していきます。

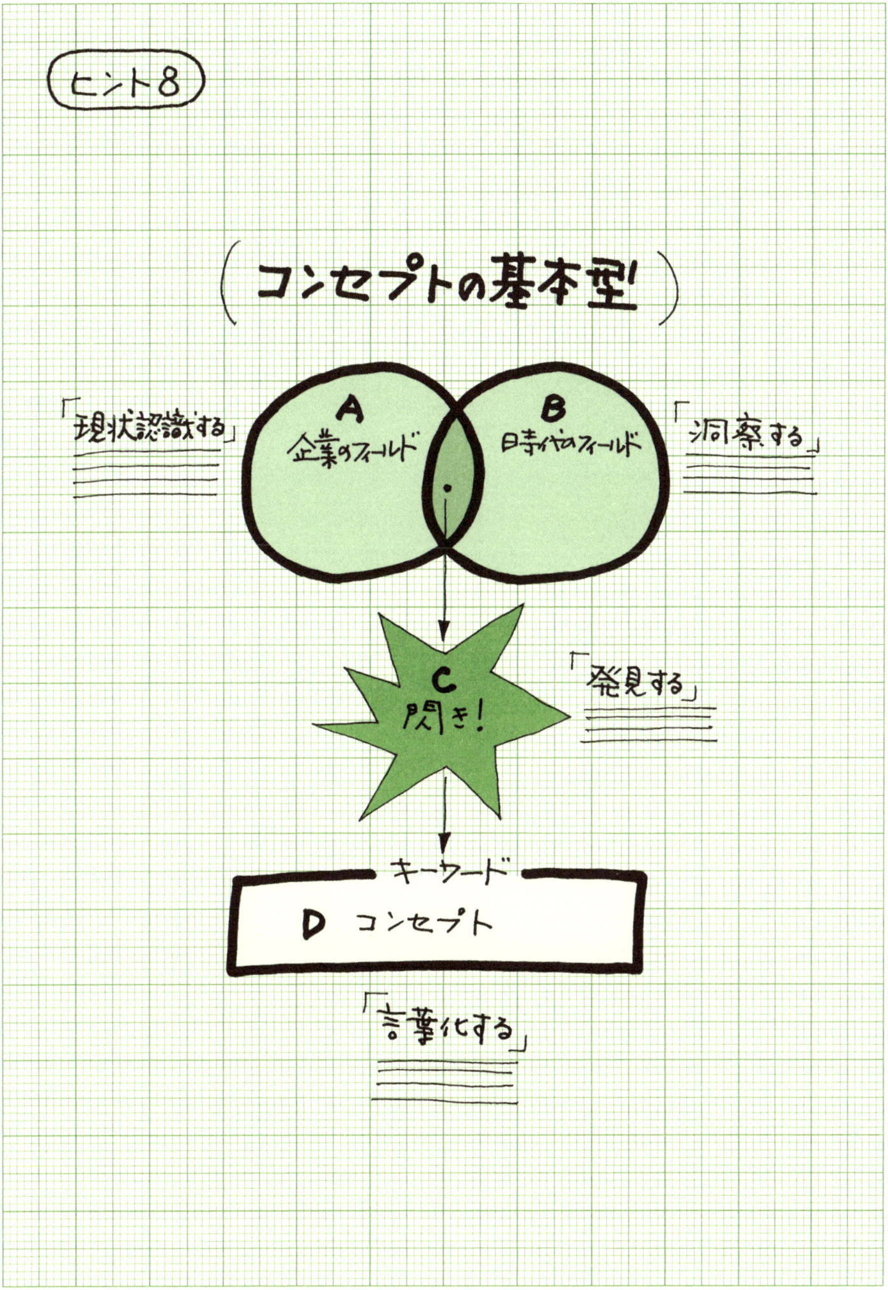
ヒント8
コンセプトの基本型
「現状認識する」
A
企業のフィールド
B
時代のフィールド
「洞察する」
C
閃き!
「発見する」
キーワード
D コンセプト
「言葉化する」

4 コンセプトメイキングは「発想の転換」作業

「コンセプトメイキング」は、新しい視点を持って既成の概念を打ち壊していく作業のこと。要するに、概念を変えるのが最大の仕事です。発想の大転換を図り、新しい魅力を創っていく。とてもワクワクします。「変化させる」ここをハズさなければ、コンセプトづくりは自由で楽しい作業です。

新しくなければ、「コンセプト」じゃない！

〈発想の転換とは……〉

- 概念を変える。新しい主張を持つ。価値観を変える。
- 物事や現象の本質を、新しい意味に翻訳する。
- 新たな視点で創造的な提案をする。
- 需要を創出し、新しい動きやムーブメントをおこす。

〈そのためには延長路線の否定から始まります〉

- 「いままで」を完全に否定。
- あり方、生き方を変える。
- 立っている位置を変える。習慣、ルール、常識を疑う。

〈そして、新鮮な驚きと喜びを発見する〉

例えば、「商品コンセプト」で発想転換！

いま、生活者は新しい価値を提供してくれる新商品の登場を待っています。その件、顕在ニーズの対応でなく、「新しい文化や生活を提案するような潜在ニーズの発掘」…という視点を持たないと概念は変わりません。もうひとつ先を考えるのです。ヒント9にあるような大転換を図ることです。時代を読み、生活者が求めているものの洞察を行い、見えなかったもの、気づかなかったものを提案することをゴールと考えてください。

ヒント9

価値の転換

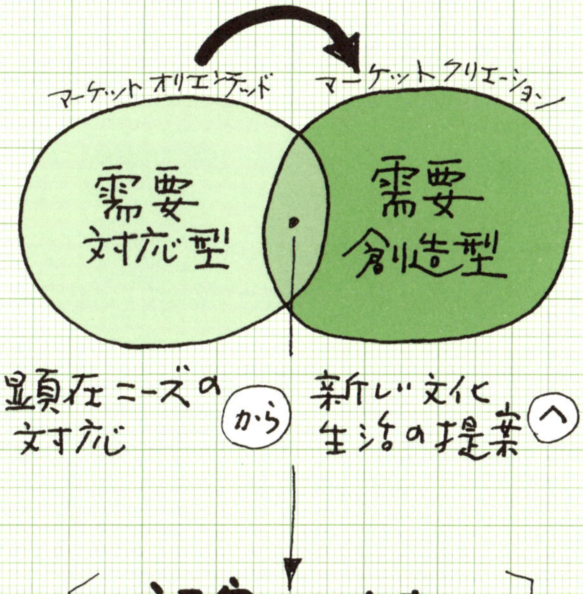
マーケットオリエンテッド
マーケットクリエーション
需要対応型
需要創造型
顕在ニーズの対応
から
新しい文化生活の提案
へ

［顧客の内在する欲求を発見しコンセプト化する］

5 私流、「コンセプト」の言い換え

　コンセプトは概念です。そこに新しい視点があるのか。ユニークな主張があるのか。そして、全体をつらぬく発想になっているのか。とよく問われます。そんなとき、私は「何がコンセプトなの?」に代えて、次のように言います。

『いま、なにが、売りものか』

（時代性　社会の動き）（ニーズ　価値観）（フィットするか　予感させられるか）

「いま、この時代、これで、売れるの？」と投げかけるわけです。

- この時代（IT化、成熟社会…）、会社は何が売りものなのか。何をもって社会に喜ばれるのか。
- この時代（モノ余り、多様化、個性化…）、この商品は何が売りものなのか。何をもって差別化するのか。
- この時代（人材化、オンリーワン、創造力…）、人事は何を売りものにすることで、いい人材を集められるのか。
- この時代、この地域は何が売りものか。何が求心力なのか。
- この時代、この店の売りものは、何か。「うまさ」を超える何があるのか。

そして、

「この考えで、売りものになるの?」とつねに振り返ってみます。激しい変化の中で、ほんとうにこれで通じるのか。ほんとうに売りものになる企画なのか。そうした深い洞察と厳しい視点が問われています。

　すべての企業も人もモノも、（ヒント10）の「これで売れるの?」を口ぐせにしたいものです。

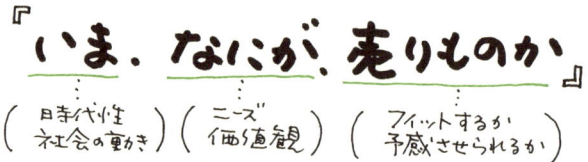

ヒント10

いま、なにが、売りものか。

あなたは、
会社は、
商品は、
企画は、
広告は、
キャンペーンは、
県は、街は

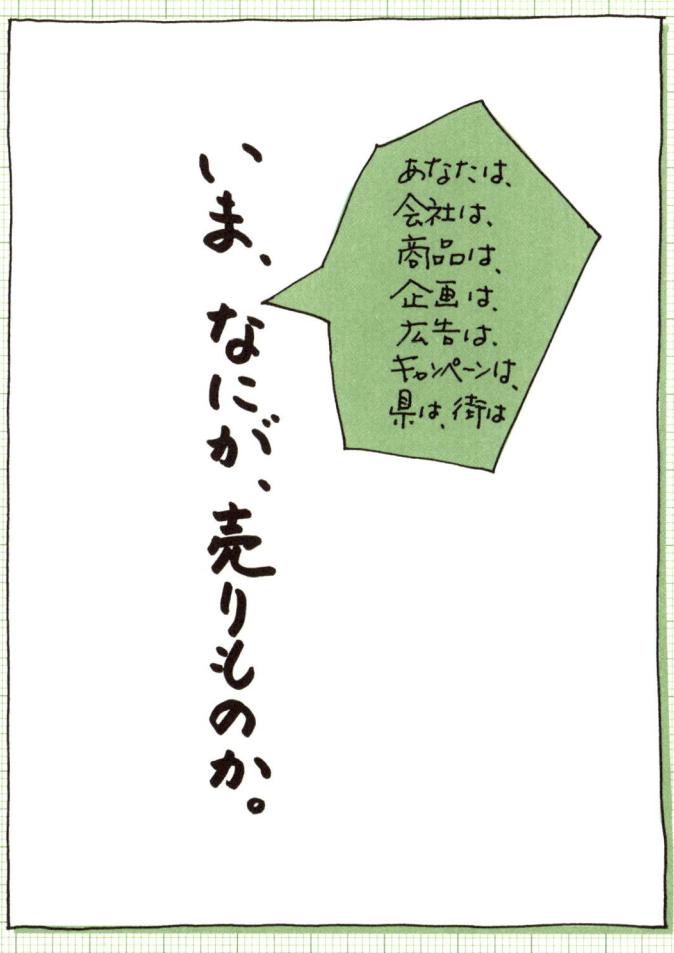

PART Ⅲ

「コンセプト」のカタログ

●

これでもか
これでもか
コンセプト

1 「コンセプト」事例の読み方・感じ方

先輩の仕事ぶりを見ながら、つい考えることがあります。なぜ、あんなアイディアが次々に浮かぶのか。どうして人と違う発想が生まれてくるのか。

そこには理屈では伝わらない独自の思考回路があるのでしょう。よく言われる暗黙知ですね。昔から「背中を見て感じとれ」「技は盗むものだ」「聞く前に考えろ」と、言われたものです。コピーライターの育成の際、100本200本とキャッチフレーズを書かせる1000本ノックのように。とにかく身体で憶えるよう習慣づけられました。ここでご紹介するコンセプト発想法も、86本を「見て・読んで・感じる」疑似体験の、原始的作法です。ヒント11にあるようにポイントは2つ。とにかくスタートしてください。

感じるポイントは、2つ。「発見」と「言葉化」

(1) どこまで新しいか——「発見（イメージ）」

①いままでの概念を壊しているか。常識を変えているか。

②新しい視点、新しい切り口でアプローチしているか。

③ユニークで、新鮮な提案があるか。

④将来のニーズを予感できるか。

(2) どこまで魅力的か——「言葉化（リアル）」

①差が見えるか。違いが伝わるキーワードか。

②信じられるか。共感できるか。

③戦略的でイメージが拡がるか。

④分かりやすくコミュニケーションしやすいか。

⑤世の中の、暮らしの、変化が読めるか。

＜魅力的に集約された言葉がパワーを持ちます＞

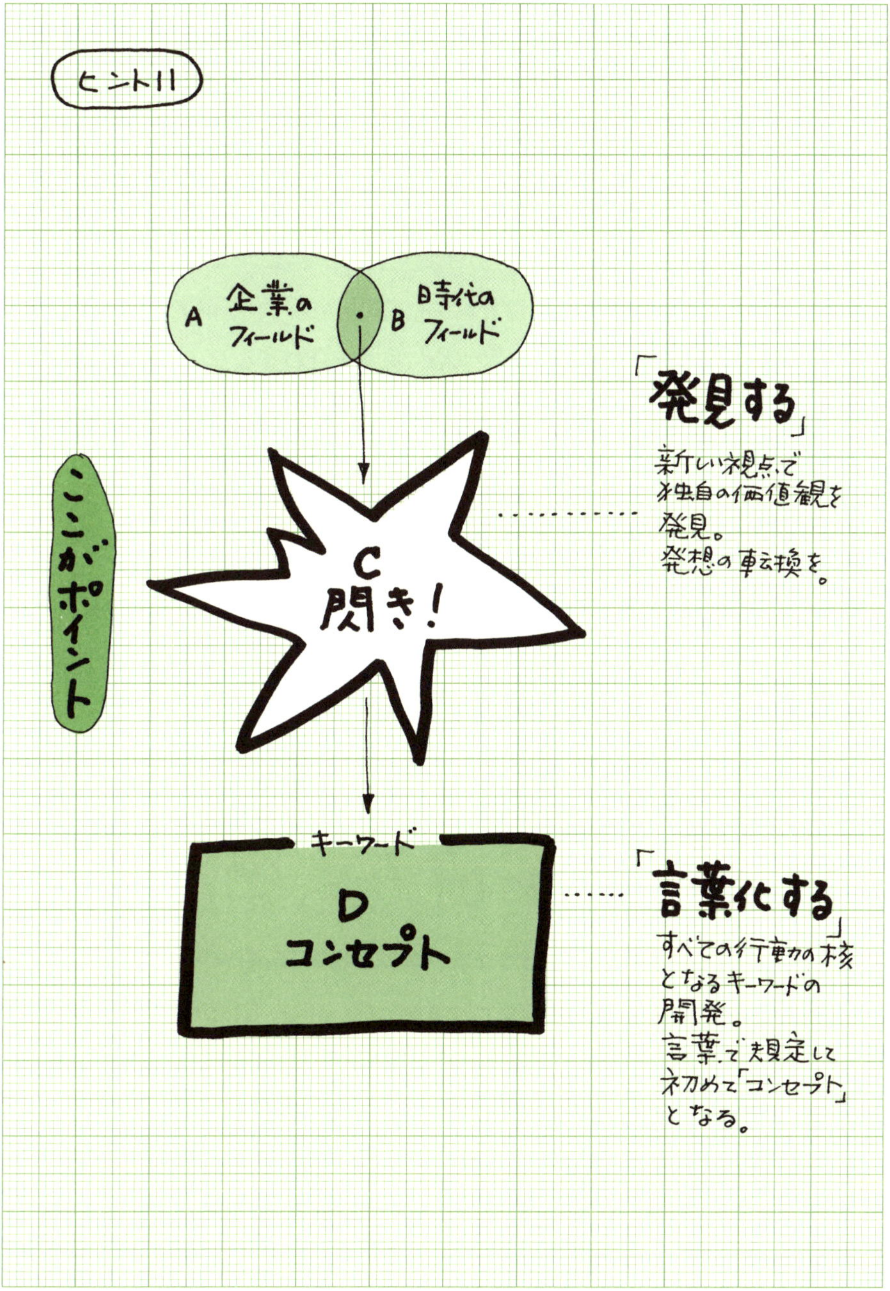
ヒント11
A 企業のフィールド
B 時代のフィールド
C 閃き!
キーワード
D コンセプト
ここがポイント
「発見する」
新い視点で独自の価値観を発見。
発想の転換を。
「言葉化する」
すべての行動の核となるキーワードの開発。
言葉で規定して初めて「コンセプト」となる。

2 感じるための「コンセプトカタログ」

「これでもか、これでもか、コンセプト」をテーマに、8つのアプローチで86の事例を集めてみました。あえてビジュアルを入れず、「閃き」と「言葉化」を感じてもらおう…と試みたわけです。なぜなら、コンセプトメイキングは発想法、閃きと言葉への定着がキーとなるからです。前のページで書いたように、この「感じるポイント」2つに焦点を合わせると、
「概念をズラすとは、こういうことか」
「発見するとは、視点を変えるということか」
「価値観を創るとは、こういうことか」と、しだいに気づいてきます。

今の延長に未来はない

「いま」がすぐに過去になると感じない人へ、「時代」の動きを感じない人へ。アンテナを高く上げ、ぜひ、変化を意識しましょう。「いま」をどう変えるか、「これから」をどう創るか…そんなテーマを持ちながら事例を読んでください。場数を踏むほどに、数を読むほどにコツがつかめます。

新・旧 あわせて 86例 (ヒント12)

各メディアから86事例をピックアップしました。新聞や雑誌やTVや書籍から、① 概念のズレを感じられる事例、② その言葉化が魅力的な事例から選びました。もう少し時間をかけて探したかったのですが、新製品ラッシュで際限はありません。

発想の転換を伝えるには、この86本の事例で充分に伝わる、と判断しました。ビジュアルのない分、あなたのイメージをフルにふくらませ、「言葉化（キーワード）」と対峙していただければ幸いです。

ヒント12

コンセプト事例86

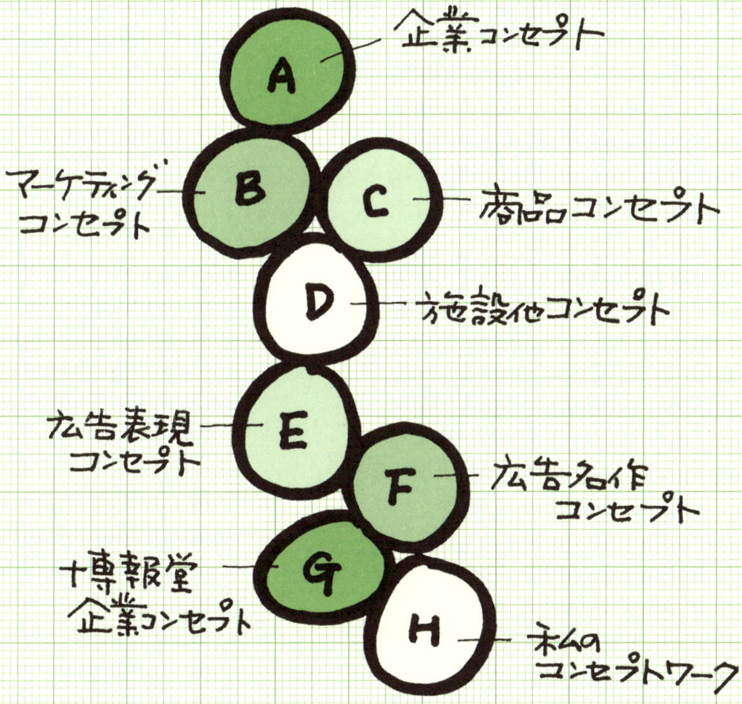
A
企業コンセプト
B
マーケティングコンセプト
C
商品コンセプト
D
施設他コンセプト
E
広告表現コンセプト
F
広告名作コンセプト
G
博報堂企業コンセプト
H
私のコンセプトワーク

A. 企業コンセプト

この変化の時代に、企業は企業自らの価値観をどこに置くのか。どう創っていくのか。どう共感させていくのか。

新しい生き方を示す指針として、コンセプトが求められています。

●

企業コンセプトとは、

『企業の新しい方向づけを内側からしっかり支え、共通の目指す方向を示す全体的な指針となり、事業、組織、活動、コミュニケーション、姿勢、すべての企業活動の要因を包み込むコアの考え方』です。

●

「企業理念」が一貫して変わらないものであるのに対して、「企業コンセプト」はその時代の状況に合わせ、定義されます。顧客に強く軸足を置く「ブランド（企業）ビジョン」も同じです。また社内向けの理念に対して、コンセプトもビジョンもツーウェイ。社内・外に自社の生き方、生きる意味、顧客への約束などを示し続けていきます。

●

ここでは企業コンセプト（企業スローガン）、ブランドスローガンを同様に考え、言葉化の例としてあげています。企業の新しい生き方がどのようなメッセージで語られるか。時代を上手に反映させている、共感を得ている…そこを感じとってください。

1 富士ゼロックス（'70年代）

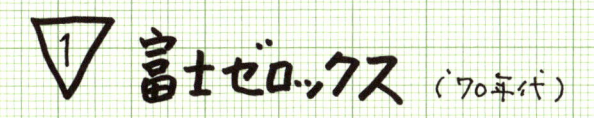

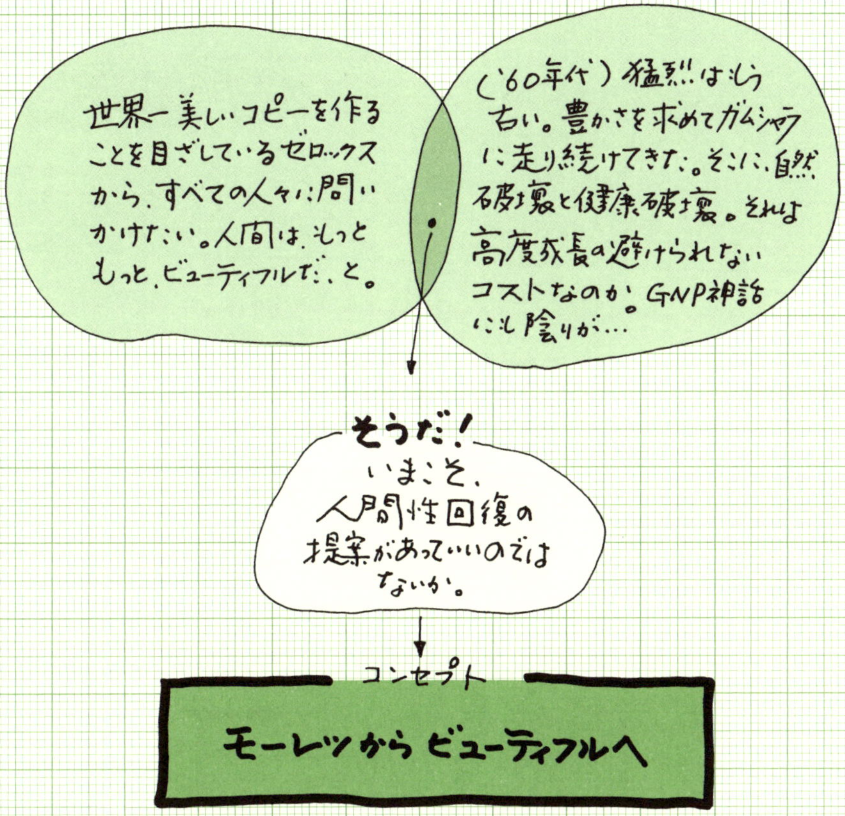
世界一美しいコピーを作ることを目ざしているゼロックスから、すべての人々に問いかけたい。人間は、もっともっと、ビューティフルだ、と。
（'60年代）猛烈はもう古い。豊かさを求めてガムシャラに走り続けてきた。そこに、自然破壊と健康破壊。それは高度成長の避けられないコストなのか。GNP神話にも陰りが…
そうだ！
いまこそ、人間性回復の提案があっていいのではないか。
コンセプト
モーレツからビューティフルへ

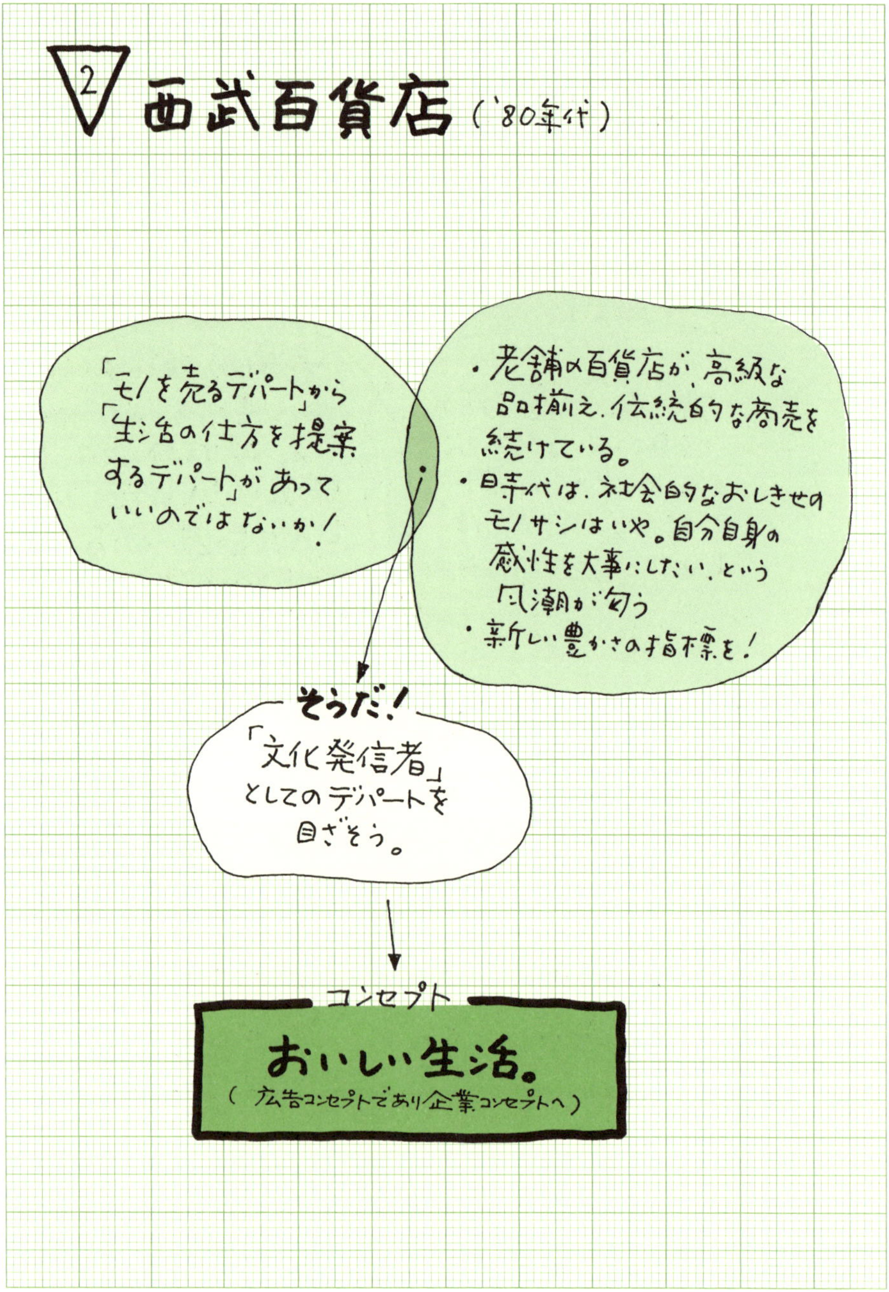

2 西武百貨店（'80年代）
「モノを売るデパート」から「生活の仕方を提案するデパート」があっていいのではないか！
・老舗の百貨店が、高級な品揃え、伝統的な商売を続けている。
・時代は、社会的なおしきせのモノサシはいや。自分自身の感性を大事にしたい、という風潮が匂う
・新しい豊かさの指標を！
そうだ！
「文化発信者」としてのデパートを目ざそう。
コンセプト
おいしい生活。
（広告コンセプトであり企業コンセプトへ）

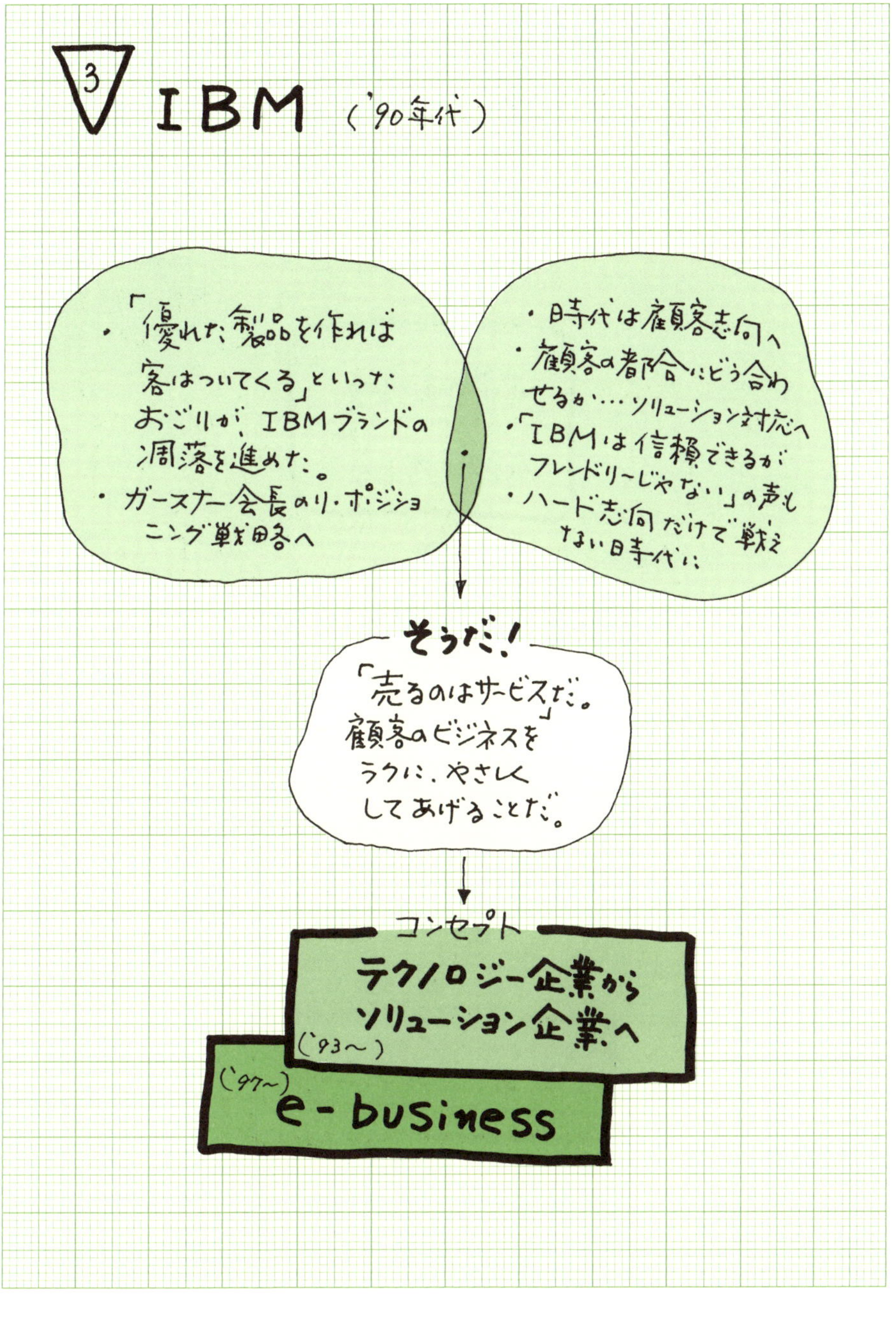
3
IBM（'90年代）
・「優れた製品を作れば客はついてくる」といった おごりが、IBMブランドの凋落を進めた。
・ガースナー会長のリ・ポジショニング戦略へ
・時代は顧客志向へ
・顧客の都合にどう合わせるか…ソリューション対応へ
・「IBMは信頼できるがフレンドリーじゃない」の声も
・ハード志向だけで戦えない時代に
そうだ！
「売るのはサービスだ。」顧客のビジネスをラクに、やさしくしてあげることだ。
コンセプト
テクノロジー企業からソリューション企業へ
('93～)
('97～)
e-business

4 リッツ・カールトン・ホテル

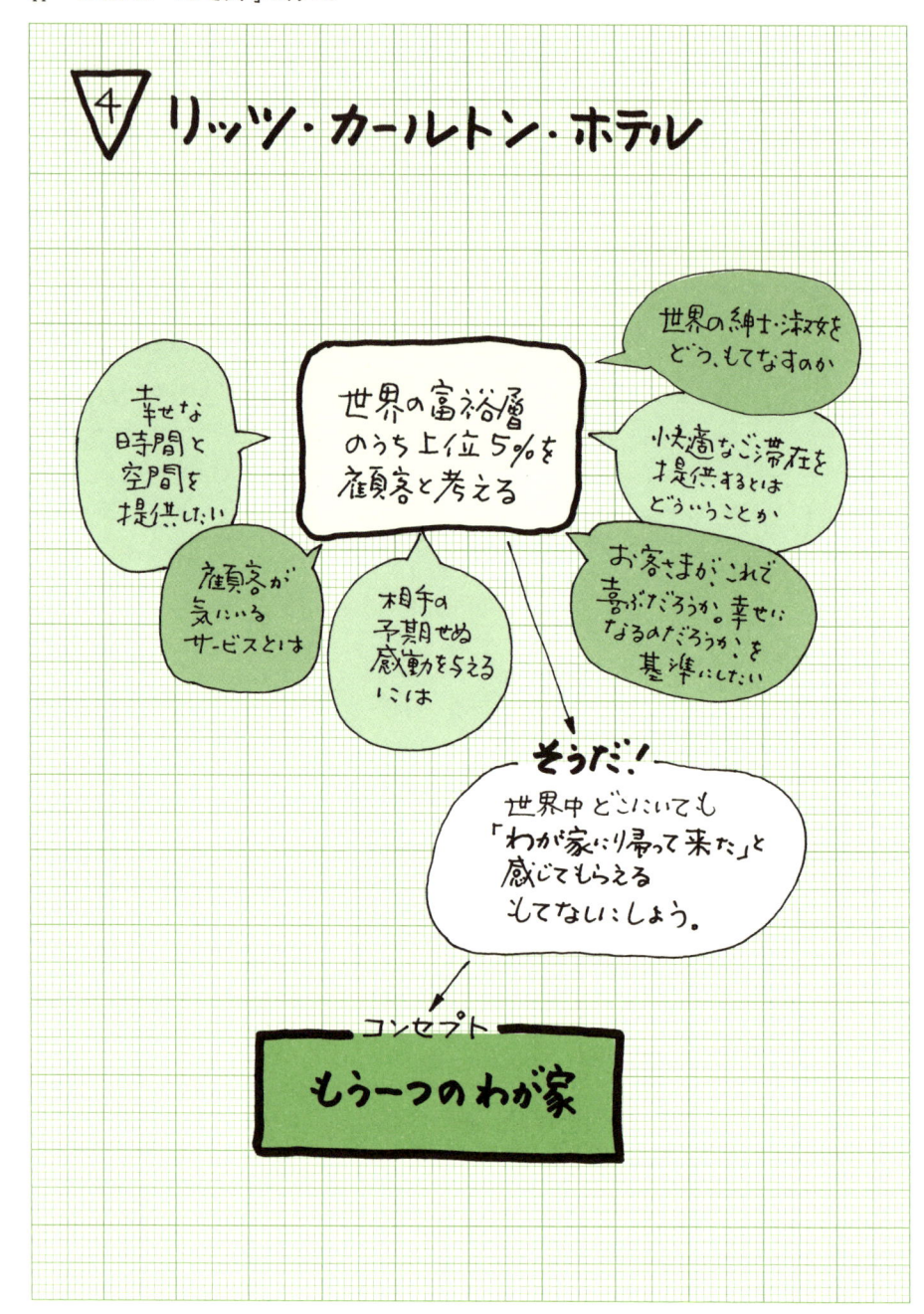

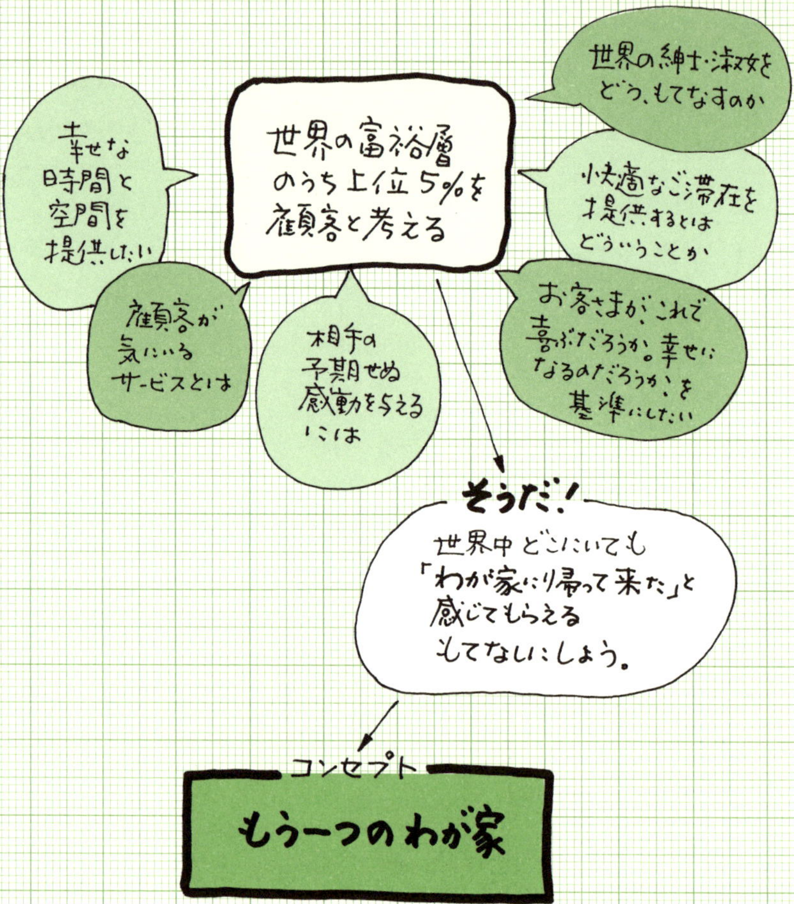
世界の富裕層のうち上位5%を顧客と考える
幸せな時間と空間を提供したい
顧客が気にいるサービスとは
相手の予期せぬ感動を与えるには
世界の紳士・淑女をどう、もてなすのか
快適なご滞在を提供するとはどういうことか
お客さまが「これで喜ぶだろうか。幸せになるのだろうか」を基準にしたい
そうだ！
世界中どこにいても「わが家に帰って来た」と感じてもらえるもてなしにしよう。
コンセプト
もう一つのわが家

企業スローガン
OR
（ブランドビジョン）

- ワンウェイの企業理念と違い
ツーウェイで顧客に対する
約束を言葉化する
- 顧客との永続的な関係に焦点

5

子供たちに
イマジネーションを与え続けます

LEGO

6

あなたの可能性が、
私たちを刺激します

マイクロソフト

7

イメージ・品質・イノベーション。
すべてにNO.1のメーカー

ベンツ

8

高性能
（プロユースを人々に）

NIKE

9

（家庭にない、職場にない）
第3の場

スターバックス

10

人生を走る人に、
走る喜びを提供する

BMW

11

みんなの
カジュアルダイレクト

ユニクロ

12

バリュー・フォー・クオリティ
(ほんとうの価値で勝負)

モスフード

13

1人の顧客と
生涯にわたってつき合う

ノードストローム

14

一番になり
顧客に歓声をあげさせる

ヴァージンアトランティック

15

世界で最も優れていると
認知されるサービスブランドになる

アメリカン・エキスプレス

16

INOVATION
(改革)

3M

17

INVENT
(発見)

ヒューレット・パッカード

18

THINK DIFFERENT
(発想を変えよう)

アップル

19

デジタル・ドリーム・キッズ

ソニー

20

気持良くなる魔法

ディズニーランド

21

アメリカンライフスタイルを売る

GAP

B.マーケティングコンセプト

いま、市場（マーケット）を考えたときに、どんな考え方を、どんなイメージを、どんな評判を得ておくことが、これからのビジネスに有利に働いていくのでしょうか。

●

マーケティングコンセプトとは、
『企業経営にあたって必要とされる市場に対する考え方、もしくはアプローチの仕方で、全組織的に持つべきもの』です。

●

そこに企業の戦略が入ってきます――市場にどう企業を位置づけていくと、ビジネスがやりやすいのか。

- プロダクト志向か（品質第一の○○○、技術革新の○○○）
- 顧客志向か（サービスの○○○、安全設計の○○○）
- 社会志向か（環境配慮の○○○、文化を育てる○○○）

時代や企業に合わせ、それぞれアプローチの仕方は変わっていきます。「あなた以外は市場に存在しない」という存在感を創り出すためにも、顧客との関係をより深く、強くする上でビジネス体質を強めるためにも、マーケティングコンセプトは不可欠です。

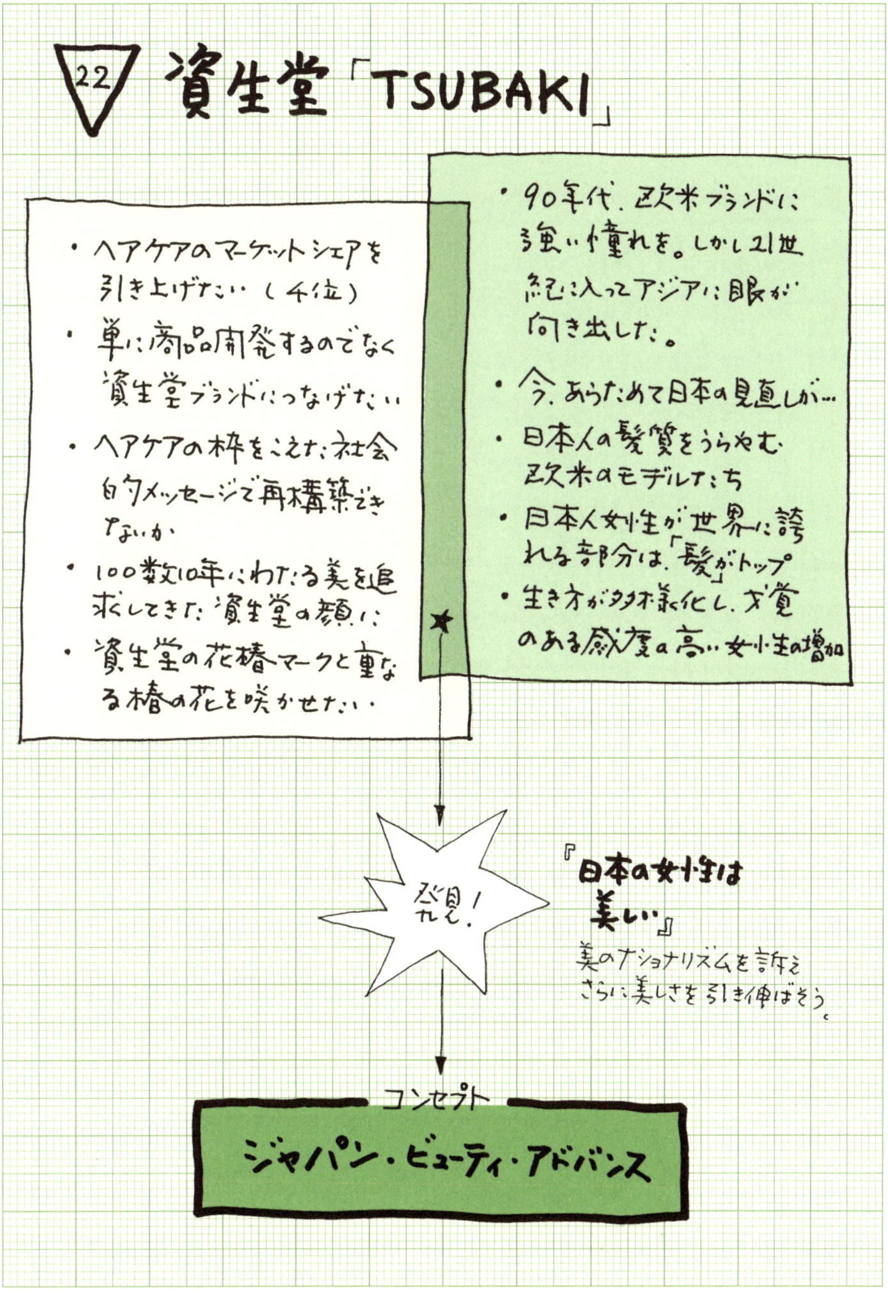
22
資生堂「TSUBAKI」
・ヘアケアのマーケットシェアを引き上げたい（1位）
・単に商品開発するのでなく資生堂ブランドにつなげたい
・ヘアケアの枠をこえた社会的メッセージで再構築できないか
・100数10年にわたる美を追求してきた資生堂の顔に
・資生堂の花椿マークと重なる椿の花を咲かせたい・
・90年代、欧米ブランドに強い憧れを。しかし21世紀に入ってアジアに眼が向き出した。
・今、あらためて日本の見直しが…
・日本人の髪質をうらやむ欧米のモデルたち
・日本人女性が世界に誇れる部分は、「髪」がトップ
・生き方が多様化し、才覚のある感度の高い女性の増加
発見！
『日本の女性は美しい』
美のナショナリズムを訴えさらに美しさを引き伸ばそう。
コンセプト
ジャパン・ビューティ・アドバンス

23 トヨタ自動車「ECO-PROJECT」

- トヨタの個々の商品そのものの評価は高い
- 世界のTOYOTAとしてのブランド力も高まる
- 車でなく、企業の魅力って何だ
- 環境問題にとり組んでいるわりには姿勢が見えない
- 「環境を考えないメーカーはダメになる」と奥田社長（当時）

★

- 汚染が深刻化している
- 現代では、企業の環境問題への取り組みは社会貢献や企業ブランドの向上といった次元の話ではない。
  事業活動を継続するための必須条件だ
- すべての産業が環境問題と関わっていることを深く認識すべきだ

↓

発見！

『環境ブランドNo.1を目ざそう』

TOYOTAを串刺しにした環境に対する企業哲学を示そう。

↓

コンセプト

ECO。あしたのために、いまやろう。
（TOYOTA ECO-PROJECT）

24 ライオン「植物物語」

- 石鹸の存在感が薄れるとともに、シェアもダウン
- 毎日の生活のパートナーとしての確固たるポジションを
- 環境問題にライオンはどう考え、何をしているのか。
- 発想を変え、原料という新しい選択基準から入っていかないと受け入れられないのでは…と

- 環境問題、化学製品へのアレルギー。年々、関心の高まりは急上昇
- 成分や機能のわずかな差別化をくり返す市場
- 石鹸をはじめボディケア商品は、直接、素肌に触れるだけに、素材に敏感

発見！

『牛脂を植物原料に変えよう』

98%以上植物原料で石鹸を。ずーっと、毎日、使い続けるのだから

コンセプト

植物物語

「ずーっと使って欲しいから」

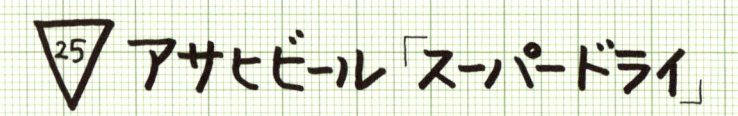

25 アサヒビール「スーパードライ」

- アサヒビールのシェアが落ち続ける
- 新しい商品で市場のイニシアチブをとりたい
- 本質的に：ビールの味、原料、酵母、売り方、マーケティングを含め再構築しよう
- とくに「味」という価値軸を提示できないか。差別化のために

- ビール市場での競争が激しく、とくにキリンの独走。3社必死。
- イメージ戦争、タレント戦争、容器戦争と体力勝負
- ビールの味の要素で何が重要なのか分からない
- 価値が分かっていない。提示されていない。イメージで飲む時代

発見！

『**ビールの本物の「うまさ（価値観）」の基準づくりをしよう！**』

モノサシをはっきり打ち出すこと。
リアリティある商品を開発すること。

コンセプト

コクがあるのに、キレがある

26 良品計画「無印良品」

（スタート時は、西友ストア）

- モノ余り社会の中で、日用品、生活用品はヒットしない。永続きしない。使い捨てされる
- 生活や生き方、心ある人の共感性がない
- センスや情報感度が低い
- 過剰消費はイヤだ、という風潮。さらに、もっと自然志向の方向へ

- モノの思想そのものが問われているのだから はっきりした主張を
- 1つ1つ「デザイン」を資産価値に
- 「デザイン力」が商品群にユニークな個性を持たせたい
- 「ノンブランドを名のりながらナショナルブランドへ…」を目標にしたい

★

発見！

『過剰な装飾を捨てて、「デザイン力」で価値づくりを！』

無印の名の下に個性あるデザインの商品を集めよう

コンセプト

愛は、飾らない

C. 商品コンセプト

IT化社会とは均質に向かう社会です。情報も技術も平準化し、企業間の差が生み出しにくいとすると、「新製品の差はコンセプトの差」と言えましょう。いかに独自のコンセプトを立て、商品にプラスできるか。ユニークな新商品を生み出せるか。これらは、すべてコンセプトの設定にかかっています。

●

商品コンセプトとは、
『あくまでも顧客サイドから見た商品価値で、新たな視点で独創的に提案すること』です。

それは、市場から見た商品の持つ意味を発見し、どの部分に光を当てるか、ということです。

そこには、新しい情報価値があり、新しい生活提案があり、他社商品とは差別化された新鮮なものでなければなりません。

●

例えば、1年間に1000種類近い清涼飲料水が生まれます。その中から、頭ひとつ抜け出すには、同じ概念（コンセプト）の商品では生き残れるわけがないのです。

つまり、独自の価値観を持つことに絞られます。

27 ソニー「ハンディカム」

小さく、軽くなって、海外旅行に

「パスポートサイズ」

28 富士フイルム「写ルンです」

カメラを忘れても、チャンスを逃さない

「レンズ付フイルム」

29 ヤマト運輸「宅急便」

いつでも、どこでも、どんなものでも

「わがまま運びます」

30 アスクル

オフィス用品業からオフィスデリバリーサービス業へ

「(注文すると)明日来る」

31 京王プラザホテル「男性宿泊プラン」

男の癒しの時間を提供する

「俺の時間」

32

キヤノン「PIXUS」

機能を超えて、デザインで売る

「**美しい置きやすいスクエア型**」

33

サントリー「伊右衛門」

本物の茶葉にこだわる旨みの発見

「**京都の老舗茶舗 福寿園**」

34

松下電器「エアコンXシリーズ」

ロボットがフィルターの掃除人

「**フィルター掃除のいらないエアコン**」

35

花王「グレイスソフィーナ」

「隠す」から「見せる」50代向け化粧品

「**大人の可愛い**」

36

アサヒ飲料「ワンダ モーニングショット」

缶コーヒーを飲む人の40%が午前中

「**朝専用**」

37

ampm「ハピリィ」

女性にターゲットを絞った新業態コンビニ

「女性仕様コンビニ」

38

サントリー「トマトマ」

まっ赤な初体験・野菜のお酒

「自然まるかじりトマトのお酒」

39

大塚製薬「ファイブミニ」

5gのセンイで、トマト22個分

「飲むセンイ」

40

ライオン「メンズバンゼロ」

男性特有のニオイをカット!

「汗・ニオイ、終日マナーモード」

41

ツーカーグループ「ツーカーS」

シニアに優しく、機能をカット

「説明書のいらない携帯電話」

42 NTTドコモ「キッズ携帯」

親が自分の携帯やパソコンで子供を確認

「子供の先手防衛」

43 明治製菓「チョコレート効果」

「甘い、うまい」が「苦い、ダイエット」へ

「チョコレート効果」

44 江崎グリコ「GABA（ギャバ）」

ストレス社会で闘うあなたに

「男が食べるチョコ」

45 下町屋・友桝飲料「こどもびいる」

ビールそっくりの清涼飲料

「こどもだって、飲まなきゃ、やってられない」

46 花王「ヘルシア緑茶」

茶カテキン540mg（緑茶の3〜4倍）

「体脂肪が気になる方に」

47 クラシエフーズ「オトコ香るガム」

食べるフレグランス

「体をいい香りにする」

48 ロート製薬「美活工房シリーズ」

からだに取り入れる時代から出す時代へ

「取り出す健康」

49 日本コカコーラ「アクエリアス アクティブダイエット」

散歩の人の、ちょっと歩く人の飲料

「動いて 燃やす」

50 サントリー「黒烏龍茶」

脂肪の吸収を抑える

「毎日、食事を楽しみながら」

51 カゴメ「ラブレ」

植物性乳酸菌（動物性じゃない）

「腸内で生きぬく力が強い」

D.施設コンセプト

日本中、いたるところに、美術館やホールなどの文化的施設、ショッピングモール、オフィスビルなどが、次々に建設されています。いままではハードの主張であったり、デザインや技術であったりと、どちらかと言うと創り手の論理でコンセプトが語られてきました。しかし、これからは、どれだけユニークな入れものを創ったかではなく、どれだけターゲットの想いを汲み入れたか、感動や楽しさにつなげているかが求められるのです。

施設コンセプトとは、
『社会や人間との関わりの中で、どう存在価値を出せるか。そして、どこまで持続できる価値観を持つか。新しい暮らし方の提案』です。

そのためには、コンセプト本来の「創り手と使い手」「ハードとターゲットの生き方」にまたがった二本の触手が必要です。

スケールの大きさや技術力では、もう誰も驚きません。アメリカの映画や、TVの映像で、イヤというほど未来都市、未来生活を見てきたのですから。これからは「リアル」へ。1人1人の暮らしに何をしてくれるのかが重要。取り巻く風景を一変させてほしい、と生活者は望んでいるのです。

52 金沢21世紀美術館

Concept

街の広場になる
開かれた美術館

・体験型でファミリー層をとり込む
・建物は中の人が透けて見えるガラス張り
・五感を使って楽しめる「現代美術」
・アミューズメントパークのように
触れたり、乗ったり楽しめる作品。

53 キッザニア

Concept

遊びながら
学べる、子供の
職場体験テーマパーク

・リアルに（実在の3分の2）再現された
50の「職場」で仕事体験
・中心利用者は2～12歳の子供
・「わが子を立派に育てたい」という
親心が、キッザニアの存在を高めている。

54 東京駅ナカ「グランスタ」

Concept

駅メディアから
「駅ナカ生活センター」
へ

・駅を単なる輸送拠点と
してだけでなく、1つの街に
したい。書店、コンビニ、ユニクロ
無印良品、レストラン、ドラッグストア他
首都の顔にふさわしい街づくりを。

55 アップルストア

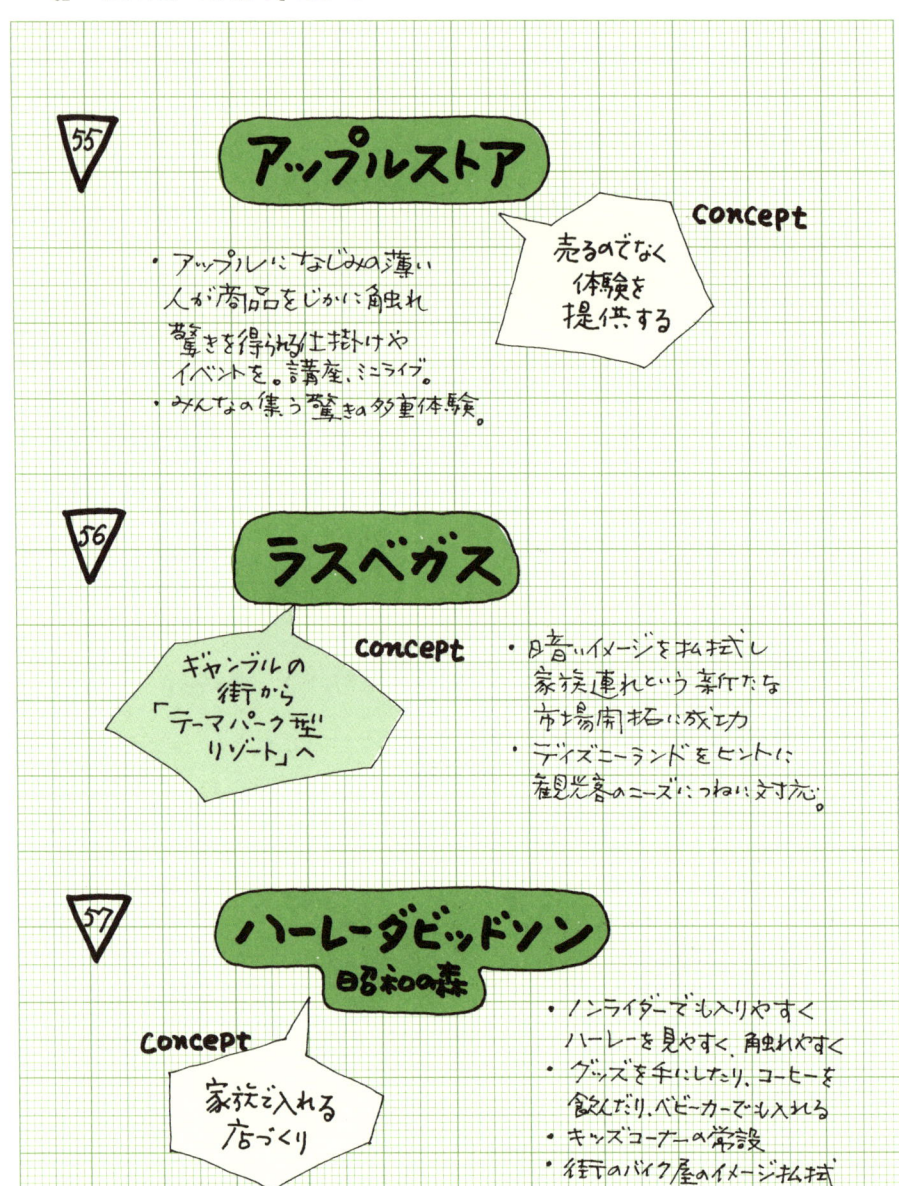

Concept

売るのでなく
体験を
提供する

・アップルになじみの薄い人が商品をじかに触れ驚きを得られる仕掛けやイベントを。講座、ミニライブ。
・みんなの集う驚きの多重体験。

56 ラスベガス

Concept

ギャンブルの
街から
「テーマパーク型
リゾート」へ

・暗いイメージを払拭し家族連れという新たな市場開拓に成功
・ディズニーランドをヒントに観光客のニーズにつねに対応。

57 ハーレーダビッドソン 昭和の森

Concept

家族で入れる
店づくり

・ノンライダーでも入りやすくハーレーを見やすく、触れやすく
・グッズを手にしたり、コーヒーを飲んだり、ベビーカーでも入れる
・キッズコーナーの常設
・街のバイク屋のイメージ払拭

58

旭山動物園

Concept

いのちを伝える動物園

・動物本来の生態を引き出すユニークな展示方法へ。

・動物本来の能力などを見せる「行動展示」や生息環境を忠実に再現する「生態展示」。

59

ニューヨークシティマラソン

Concept

「がん撲滅」をテーマに走る、受け入れる

・海外のマラソンは、すべてチャリティの要素を持っている。

・走ることを通して社会に貢献。走れば貢献できるし、街も喜んで受け入れるし、参加する。

60

東京ミッドタウン

Concept

都心の上質な日常

・「職・住・遊・憩」の機能を融合

・その街の中心の商業ゾーンのコンセプトが上質な日常。「ここにしかない」という上質にとびきりの「おもてなし」を。

E. 広告コンセプト

広告は単にインパクトを持って「知らせ・分かってもらう」だけではなく、広告をとおして何を残すかがつねに問われます。広告は投資であり、資産だからです。それはつまり、

むなしく消えるものでなく、イメージして確実に残していけるもの。新しい商品価値を提案することによって、生活者が抱いている古い概念を揺り動かし、幸せな生活づくりに貢献するのが広告ビジネスの本質なのですから。

●

広告コンセプトとは、

『広告制作をするときに、商品がどのような特長を持ち、それが広告の受け手にとって、どのような魅力になるのか、表現アイディアの素となる考え方』です。

すなわち商品（企業）と生活者にまたがったアイディアで、広告表現の基本方針であり、表現戦略上のキーとなる考え方なのです。

●

当然、C.商品コンセプトの考え方と同様、顧客満足を求める視点がますます必要となっています。

61

サントリー
リザーブ

万博'70以降、日本中が世界に対して自信の持てる時代になっていた。そんな時代を背景に生まれたサントリーの自信をコンセプトに。

「国産品と呼ばずに国際品と呼んでください」

62

西武百貨店

'79年サッチャーがヨーロッパ初の女性首相に就任。女性の社会進出は、さまざまな方面で具体化し始め、まさに女性の時代到来があります。そんな空気を巧みにとらえ、女性たちにエールを送る。

「女の時代」

63

SEIKO
（服部時計店）

成熟市場を劇的に変えたコンセプトメイキング。時を知る道具を、ファッションの要素として概念を変えることにより、市場がパーッと拡がってくる。TPOに合わせバリエーション多彩。

「なぜ、時計も着替えないの」

64

VOLVO

これまでの車の広告では、考えられない内容。クルマメーカーのタブーを並べてあっと言わせた企業広告です。経営哲学がそのまま広告のコンセプトとなり表現されている。

「私たちの製品は、
公害と、騒音と、
廃棄物を生み出しています」

65

本田技研工業
「ステップワゴン」

アウトドアのライフスタイル、そして多人数、性能のスペック競争、と、同じ土俵の上で競い合う広告が多い。その中で、ホンダは「こどもと一緒に楽しむクルマ」をコンセプトメイキング「生活価値」ととらえて発信！

「こどもといっしょに
どこいこう」

66

日産自動車
「変わらなきゃ」キャンペーン

政治、経済、社会の枠組みが、短期間に大きく変わった。バブル経済もはじけ、企業も年功序列から成果評価制へ。
自己責任をつきつけられる。
とにかく今のままではいけない…。人々の気持を代弁し、コンセプトに。

「変わらなきゃ」

67 新潮文庫

本離れ、活字離れに
悩む出版業界の中で、
初めての大型キャンペーン。
若者も巻き込んだ、知的
エンターテイメントあふれるアイ
ディアで、毎年、新鮮。
「本の世界の、ミュージアムショッ
プをつくる」がコンセプト。

「Yonda?」

68 ライオン
「キレイキレイ」

「キレイキレイしましょ！」
を合言葉に、お子さまが
思いっきり外で遊ぶための
清潔習慣を提案。
お母さまがたの「ばい菌
は怖い。でも外で泥んこ
になって遊ばせたい」
という気持をコンセプトに。

「キレイキレイしましょ」

69 カゴメ
「野菜と暮らそう」

生活習慣病、体内年
齢という、最大の関心事へ。
野菜と暮らそうと提案し
続けているカゴメが、生活
者啓発のキャンペーンを
再び発信。新しい「造語」
のもとで「生活習慣を変
えて体内年齢を変える
促進を。

「体内環境正常化」

F. 名作広告コンセプト

広告コンセプトについて強烈に思い知らされたのは、1960年代のアメリカの広告（DDB社 ▽70 ▽71 ▽72）です。古い伝統、ルール、生き方を変え、「新しい合理性や、いままでと違う快適さを、手に入れよう」とメッセージし続けていました。モノの見方を変えることによって、こんなに新鮮に見えるのか…という驚きでいっぱいでした。もちろん概念を変える姿勢に対する驚きだけでなく、表現の独自性の質の違いについてもですが。

DDB社のバーンバック社長は「広告は説得のアートだ」と言っています。コンセプチュアルな部分と感性の部分によって、コミュニケーションは成り立っているということでしょう。

新しい視点で概念を変え、時代に斬新なメッセージを送る日本の名作もすごい。というわけで、できるだけ概念のズレを見事に伝えている事例を選んでみました。このズレを最後のアウトプットまで維持するのは大変難しいものです。広告の創り手と依頼主との間に信頼関係がないと、この距離感がなかなか一致しません。

そこまでかけ離れていいのか。そのレベルで概念が変わったと言えるのか。この距離だと受け手のリアリティを超えてしまう、等々。

そんな私の日常の心配を吹きとばす、強烈なコンセプトと表現の広告事例をご紹介します。

70

フォルクスワーゲンのコンセプト

『小さいのが理想』（'59）

50〜60年代
アメリカの大型車は
金持ちのシンボル。
誰もが「大きいことは
いいことだ」と夢を見る。

→

フォルクスワーゲンの提案。
「小さいのが理想」と、
アメリカ社会に挑戦。
「イメージよりも実質を
大切にする車」として
キャンペーンが展開された。

71

エイビスレンタカーのコンセプト

『No.2主義宣言』（'62）

当時、業界の
最大手は「ハーツ」。
しかし大きく離され、
「エイビス」の
経営危機が…

→

エイビスの宣言。
「私たちは2位です。
だから、頑張ります」
No.2であることを逆手に
とって、ハーツに挑戦。
徹底したサービス戦略を。

72

ポラロイドカメラのコンセプト

『10秒間写真を売る』（'64）

カメラの品質・
画質の競争が
激しい。しかし、
ポラロイドには
何の統一性もない。

→

新しいコンセプトの提案。
「私たちは、カメラを売る
のではなく、10秒間を
売るのです」。時間という
新しい価値観でキャンペーン。

73

トヨタクラウンのコンセプト

『白いクラウン』（'68）

「黒塗り」＝公用車・
社有車のイメージを
払拭し、個人オー
ナーへの道を開く。
2000ccをファミリーカーへ

→

「白いクラウン」は幸せなハイ
ライフの象徴と提案。
クラウン2000CCの概念を
変えて、ハイライフセダンとし
ファミリーカーへ。
「黒」から「白」でイメージチェンジ。

74

ネッスル日本 マギースープのコンセプト（現ネスレ日本）

『おはよう—マギーです』（'67）

朝食ぬきのサラリー
マン、学生が社会問
題。日本人の食生活
にも変化が…。「スープ
＝夕食」のイメージを変えたい

→

「朝食にスープ」の新しい提案。
カンタンで、栄養たっぷり
短時間のうちに食べられる
スープで朝食をとろう。
しっかり朝食をとろう、と
キャンペーン展開で、習慣化。

75

サントリー V.S.O.P.のコンセプト

『ブランデー、水で割ったら、アメリカン』（'79）

手の中でゆっくり温め
て香りを楽しむ飲み
方はくずれない。しかし
水割り文化も…。
もう少し量の拡大も…

→

新しいブランデーの飲み方の
提案。「ブランデーの水割り—
アメリカンで飲《や》る」と若者中心
に定着させていく。しかも、アメ
リカ流、格好良く…と、
独自の世界を創っていく。

76

日本国有鉄道（現JR）のコンセプト

『ディスカバージャパン』（'70）

海外旅行熱高まる。万博後の旅客減少対策。時代もスピードダウンを求めている。

→

自分の国の美しさ再発見の提案。単なる観光旅行でなく、人間や人生における旅の意味も含めて。自分と自分の国を振り返る旅へ。美しい日本を！

77

伊勢丹のコンセプト

『こんにちは土曜日くん』（'72）

週休二日制を採用する企業が（'72）21.9％。前年の2倍。しだいに拡がる土曜日の使い方が…

→

土曜休日に考えよう！と伊勢丹からの提案。そんな時代感覚に合わせて、新しいファッションや日常生活のあり方を考えてみたら…と、呼びかける。

78

日産 セレナのコンセプト

『モノより思い出』（'99）

非日常的なライフスタイルで、多人数で、同じように描かれるミニバンの競争。差がつかない。

→

ターゲットの共感性を提案。成功するにはミニバンを選ぶファミリーの心のツボを的確に洞察。そのカギは「新人類パパの親心の芽生え」パパこそ家族生活を拡げるんだ。

G.博報堂企業コンセプト

どの企業にも企業理念と共に企業コンセプトがあるように、112年の歴史を持つ博報堂にも、その時代の節目、節目にキーとなるコンセプトがあります。

メディアの代理業からスタートした博報堂は、広告代理店、マーケティングコミュニケーションの専門会社、ソリューションパートナー業と領域も業態も大きく変化してきました。

ただ変わらないのは、得意先企業と生活者をまたいで（ここがコンセプトの基本型そのものですが…）、博報堂は両者に何ができるか。何がベストなのか。どうすれば喜ばれるのか。この姿勢を維持しつつ、博報堂の生き方を宣言してきました。

わずか3つの例ですが、得意先と生活者と博報堂の三者が喜び合える方向を、つねに示し続けているのが分かります。

79

ME企業《マーケティング・エンジニアリング》 ('81)

『MEという方法論で、得意先のマーケティング活動のすべてをサポートしていこう。市場を動かすマーケティング技術を持って「つくる・知らせる・売る」の機能を有機的に組み合わせ、実施し、大きな成果を上げよう。』

80

GDP《グランド・デザイン・パートナー》 ('91)

『マーケティングからマネジメントまで、すべての情報戦略が私たちの仕事。クライアントの事業デザイン、企業デザインといったマネジメント課題まで対応し、企業の「グランドデザインパートナー」として在り続ける。』

81

PBP《パワー・ブランド・パートナー》 ('02)

『「生活者から最も長く愛されるNO.1の価値を持ったブランド」をパワーブランドと位置づけ、その理想の状態を、クライアントとの真摯な語り合いを通して構築していこう。』

H. 私のコンセプトワーク

当時、制作の現場で、私はコンセプトという意識もなく、表現テーマ、表現アイディアというレベルで、表現の核を作っていました。しかし、制作者としての姿勢は、当時も今も変わりなく

「どう言うか、より
何を言うか、が大切だ」

を、つねに意識していたのは確かです。

「何を言うか」は生活者への提案であり、ユニークな主張です。まさに、これがコンセプトだったと思います。

ターゲットに「何を言う」（コンセプト）と驚き、喜び、感動するのか。そして、「どう言う」（表現する）と行動に移してくれるのか。そして、幸せ、快適を実感してもらえるのか。

近年「何を言うか」にますます主張、提案性を求められ、全体戦略を組み立てるような仕事に変わってきました。

とは言え、ものごとの始まりにすべてコンセプトがあり、すべてスタートにかかっていること、お忘れなく。新しいコンセプトが生まれるから、戦略、戦術が新しくなるのです。

82 花王ソフィーナ（基礎化粧品）表現コンセプト（新発売時）

〈いま.花王は。ソフィーナは。〉

・「細胞間脂質」、
　ネミのうるおい因子発見
・肌の細胞を生き生きさせる
　…これが基礎化粧
・保湿効果が持続する
・キメをそろえて潤いを守る
・肌表面だけでなく、内側
　に働きかける

〈いま化粧品は。世の中は。〉

・スキンケアは限りなく医学に
　近づき、バイオに向かう.
・だから安全が最大のポイント
・基礎は自分の肌。直接
　だから正しい知識を知りたがる
・皮膚への関心は年々高くなる
・メディアを通じて情報が入る
・スキンケアが独立した価値観

化粧品は科学を語り始める

発見！
「ほんとうに何がいいのか」
美を売る、あこがれ、イメージ、
虚像から、化粧品は
もう離れてもいいのでは
はないか。

表現コンセプト

『化粧品（イメージ）を売るのではなく
正しい知識を売ろう』

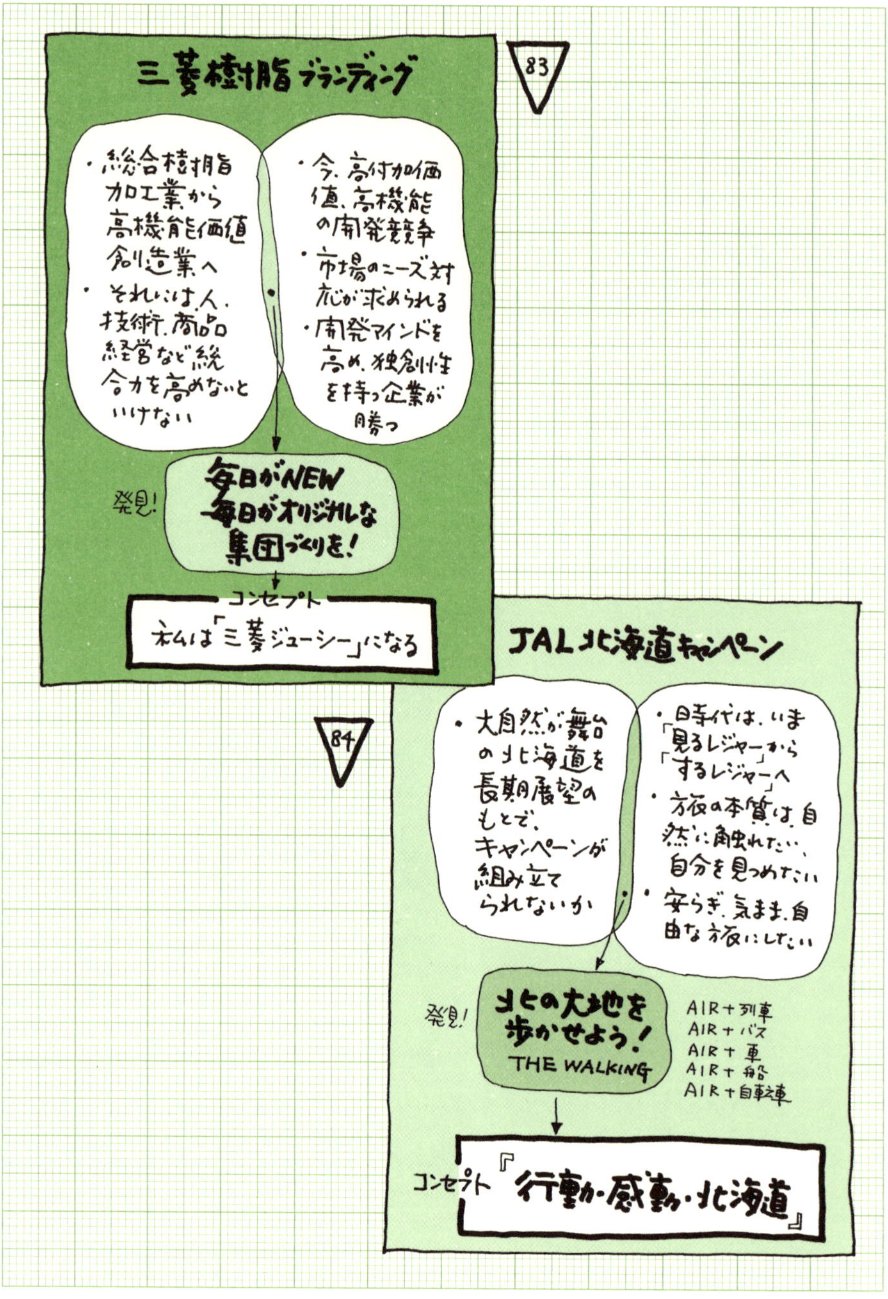
83
三菱樹脂ブランディング
・総合樹脂加工業から高機能価値創造業へ
・それには人、技術、商品、経営など総合力を高めないといけない
・今、高付加価値、高機能の開発競争
・市場のニーズ対応が求められる
・開発マインドを高め、独創性を持つ企業が勝つ
発見!
毎日がNEW
毎日がオリジナルな
集団づくりを!
コンセプト
私は「三菱ジューシー」になる
84
JAL北海道キャンペーン
・大自然が舞台の北海道を長期展望のもとで、キャンペーンが組み立てられないか
・時代は、いま「見るレジャー」から「するレジャー」へ
・旅の本質は、自然に触れたい、自分を見つめたい
・安らぎ、気まま、自由な旅にしたい
発見!
北の大地を歩かせよう!
THE WALKING
AIR＋列車
AIR＋バス
AIR＋車
AIR＋船
AIR＋自転車
コンセプト
『行動・感動・北海道』

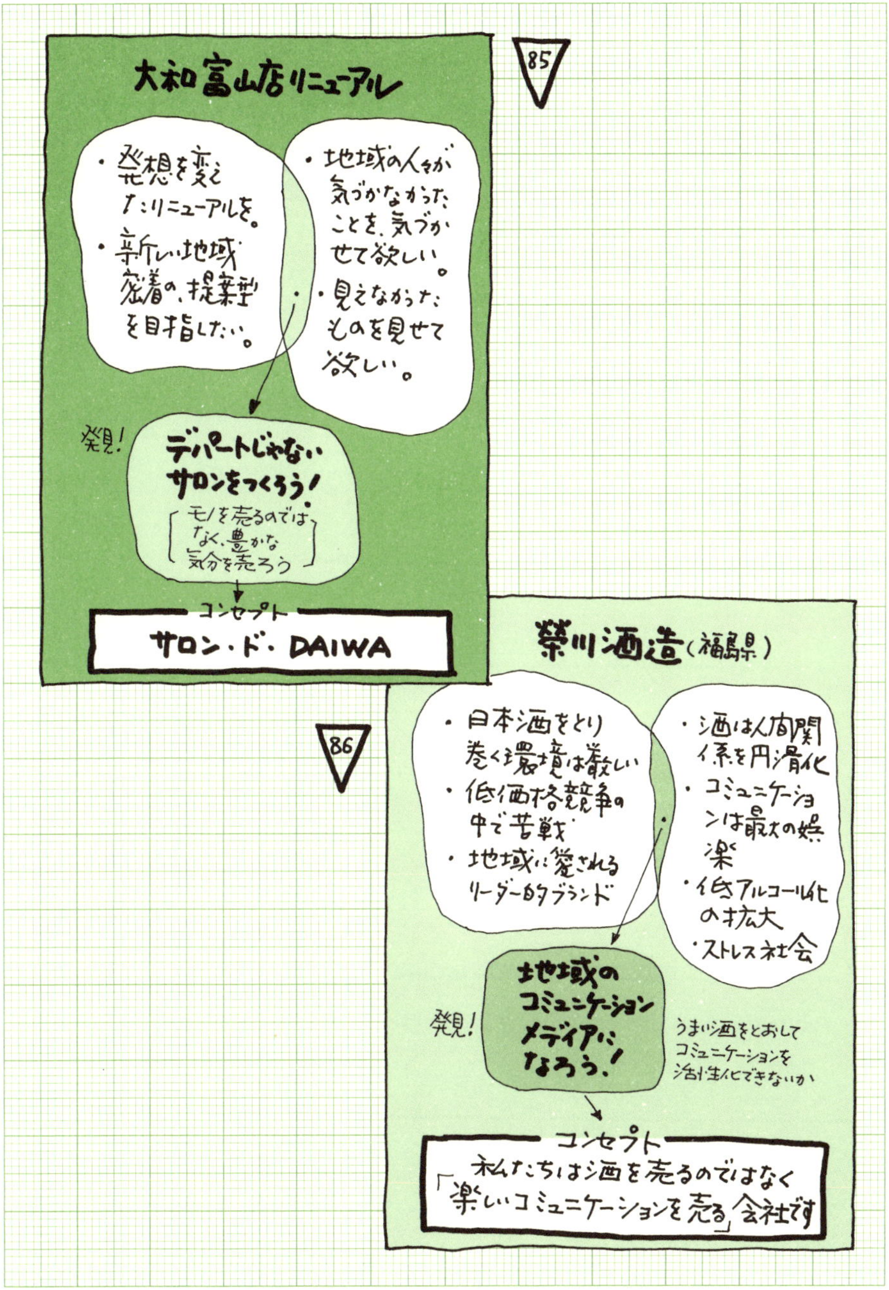
85
大和富山店リニューアル
・発想を変えたリニューアルを。
・新しい地域密着の、提案型を目指したい。
・地域の人々が気づかなかったことを、気づかせて欲しい。
・見えなかったものを見せて欲しい。
発見!
デパートじゃないサロンをつくろう!
〔モノを売るのではなく、豊かな気分を売ろう〕
コンセプト
サロン・ド・DAIWA
86
榮川酒造（福島県）
・日本酒をとり巻く環境は厳しい
・低価格競争の中で苦戦
・地域に愛されるリーダー的ブランド
・酒は人間関係を円滑化
・コミュニケーションは最大の娯楽
・低アルコール化の拡大
・ストレス社会
発見!
地域のコミュニケーションメディアになろう!
うまい酒をとおしてコミュニケーションを活性化できないか
コンセプト
私たちは酒を売るのではなく「楽しいコミュニケーションを売る」会社です

PART Ⅳ
どう創る？「コンセプト」

1 事例から、感じること、気づくこと

「コンセプト」は生きもの

ビジネス社会では、「コンセプト(概念)」は生きもののように変化し、動き回ります。「このコンセプトは…」と聞かれるということは、「どんな新しい視点を持っていますか？　どんな新しい提案が入っていますか?」と問われることです。概念はつねに時代の価値観といっしょに変化し、その中心となるアイディアが求められています。

86事例の読み方、感じ方のポイント

(ヒント13)に図解しましたが、Ⓐと Ⓑの2つがポイントです。何度も書いてきたのでもう身体にしみ込んだかと思われますが、あえてダメ押しです。

Ⓐ 新しい概念か？(新しい視点、新しい価値観を感じとりましたか。丸い概念を三角にしているところを)

Ⓑ 中心のアイディアは何か？(コンセプトは、新しい視点を持った言葉。社内外を巻き込む魅力あるキーワードに触れましたか)

この2つにスポットライトを当て、事例をまとめてきました。そのため、事例の表現の仕方として、カテゴリー別にいろいろなパターンになりましたが、かならず

これが(旧・概念)→ **こうなる**(新・概念)

を意識しました。コメントも概念のズレを分かりやすく解説。キーワードには新しい提案性やアイディアのある事例をピックアップ。

この Ⓐ、Ⓑの2つのポイントを感じられるよう配慮しました。

感じて、気づいて、動く…最大の収穫を目指してください。

ヒント13

［86例のすべてに、「新しい視点」と「中心のアイディア」がある］

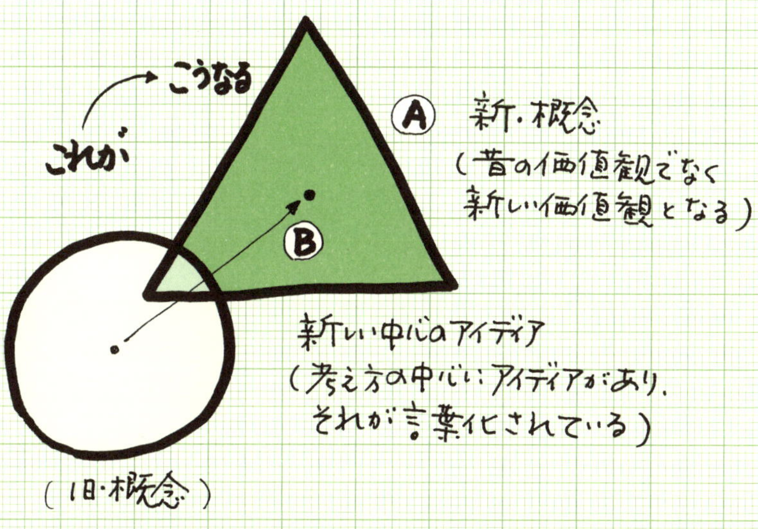

これが
こうなる
Ⓐ 新・概念
（昔の価値観でなく新しい価値観となる）
Ⓑ
新しい中心のアイディア
（考え方の中心にアイディアがあり、それが言葉化されている）
（旧・概念）

2 コンセプトのつくり方<4 STEP>

(ヒント14)をご覧ください。このカタチと手順こそが、すべての発想法の原点のようなもので、「アイディアの創り方」も同様です。ここでは、わずか4つの「カタチと流れ」を一緒に頭に入れてください。基本は**「どう言うか」**ではなく**「何を言うか」**が先です。まず「何が問題なのか」「どうしたいのか」「どうなりたいのか」を探し、仮説を立てることから始まります。

コンセプトメイキング、4つのSTEPは――

STEP 1「現状認識」

STEP 2「時代洞察」

STEP 3「発見」（価値づくり）

STEP 4「言葉化」（キーワード）

再び確認しておきますが、「コンセプト」は、

① 具体的な企画の出発点。これがなければ始まりません。

② すべての戦略の拠りどころ。ここから戦術が組み立てられます。

③「概念を変える」とは、時代に合わせ、新しい価値を創ること。

④ そこには新しい主張、新しい提案があり、人を動かす力があります。

⑤ チームや会社が共有し、モチベーションを高め、成果へつなげます。

⑥ 外に向かって意志を伝え、共創し、ブランド化を図ります。

集めて、組み合わせて、発見して、言葉化に

常識を破り、古い価値観を捨て、習慣を壊し、新しい視点で組み立て直します。「誰に」「何を」働きかけるのか…。相手はどんな顔をするのか…。期待を超える驚きを与えよう。そんな思いで、コンセプトメイキングを始めてみましょう。

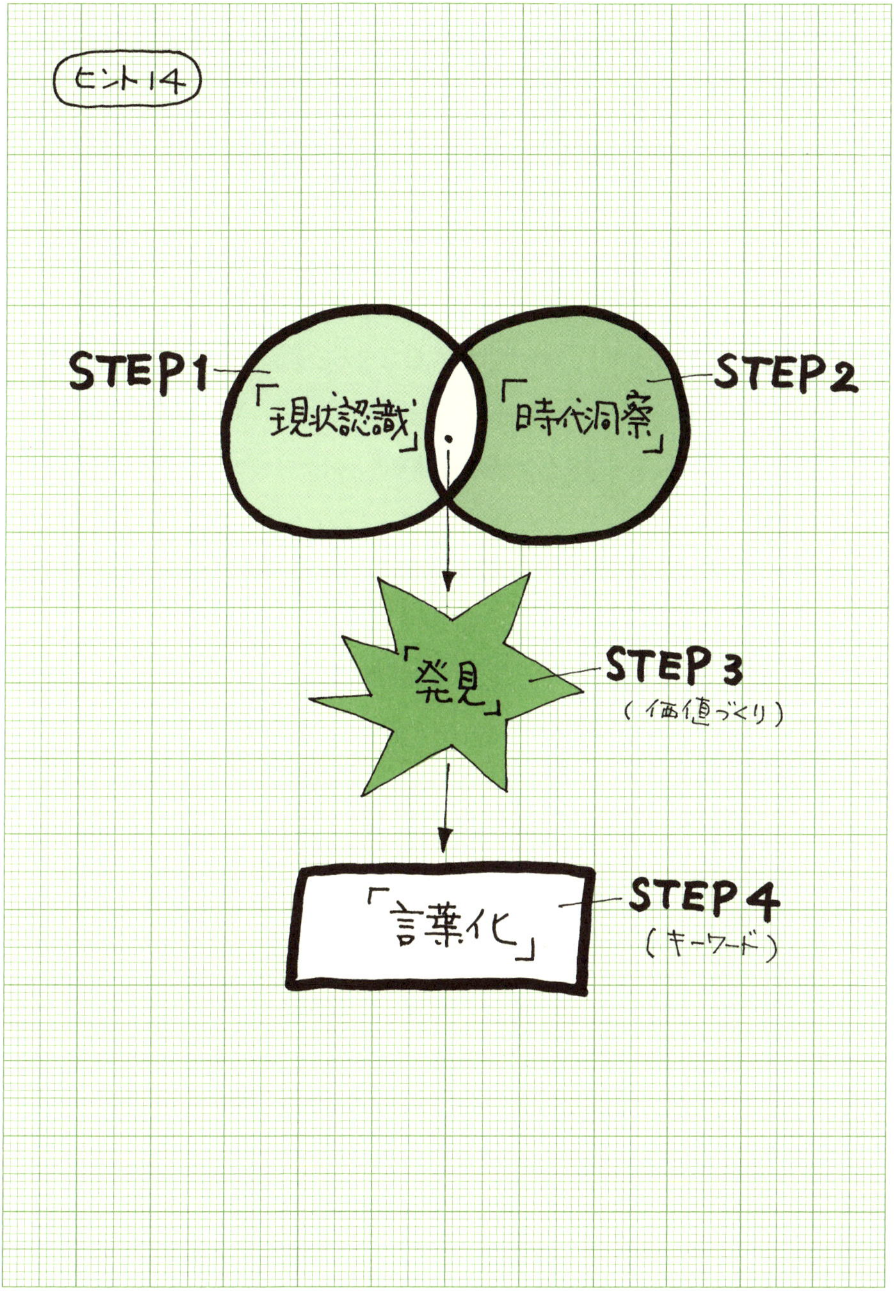
ヒント14
STEP1
「現状認識」
STEP2
「時代洞察」
「発見」
STEP3
（価値づくり）
「言葉化」
STEP4
（キーワード）

2-(1) STEP 1「現場認識」

基本的な「事実」を徹底して探り出します。当初は基礎情報として多くなりますし、どこまで集めたらベストなのか、と戸惑うでしょう。一度収集すると、次回から楽になり、何が足りないのか、何が余計なのか分かってきます。（ヒント15）はプランニングの一般的な項目です。本気で集めると、かなりの量となります。ただ、STEP1は広さ（広範囲）を鳥の目で探す。STEP2は深さ（深掘り）を虫の目で見つける。と、考えてください。しかし、

「誰に、何を働きかけるのか」と、

そして自分の想いとして「どんなことをやってみたいのか」という仮説を持たないと、情報もゴミの山になるだけ。情報収集もまず先に仮説やイメージを描けば、新しい角度の情報が集まってきます。

例えば「中華料理に和の季節感、それも春の花のシーズンをイメージした料理にしてみたい」という仮説を立てると、中華料理の世界と違った異質の情報を集めないといけません。また、STEP3の「発見」（新しい情報の組み合わせから生まれる）を考えると、情報収集は角度の違った情報があるほどアイディア発見に結びつきます。

「鳥の目」で広く、異質なものを

①情報がたくさん集まるほどに全体が見えてきます。

②見えなかったものが見えてきます。

③全体がどう動いているのか、何が一番の問題なのか分かります。

④多いほどに判断が正確になります。

⑤組み合わせが自在になり、発想が刺激されます。

⑥インプット（情報）がなければアウトプット（独創性）は生まれません。

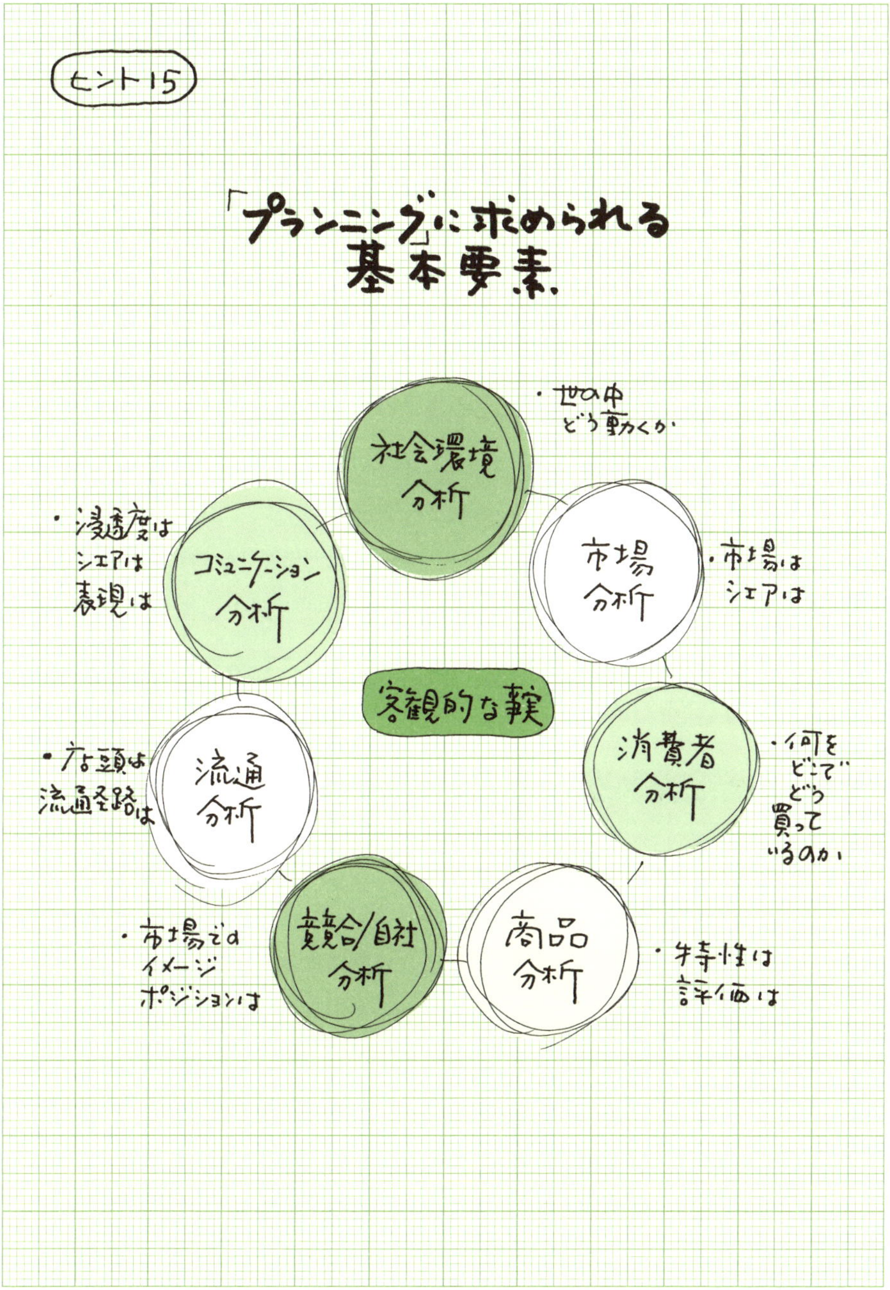
ヒント15
「プランニング」に求められる
基本要素
社会環境分析
・世の中
どう動くか
市場分析
・市場は
シェアは
消費者分析
・何を
どこで
どう
買っている
のか
商品分析
・特性は
評価は
競合/自社分析
・市場での
イメージ
ポジションは
流通分析
・店頭は
流通経路は
コミュニケーション分析
・浸透度は
シェアは
表現は
客観的な事実

2-(2) STEP 2「時代洞察」

ここでは、時代を背景に「世の中は、企業は、人は、暮らしはどう動いているのか」を探ります。「虫の目」で、より現場感を持って、じっくり深掘りし、ディティールにこだわるステップです。

情報は、すべて「想像力の素」

情報収集能力の差が「発見」に大きくつながるのが、STEP2。STEP1が既成のもの（現実・定型）に対して、STEP2は自分だけのオリジナルなもの（想い・不定型）で、個人の目利き、感性で差が出てくるからです。ミクロの世界で、小さな兆しから何が動き出すのか想像力を働かせ、情報化しなければなりません。これからは社会も企業も「人間中心社会」。人々の生活を観察し、洞察し、「明日の芽」を発見することが求められています。（ヒント16）のここをハズして、コンセプトメイキングは考えられません。

どこまで読めるか――これがチカラです

時代を読み、イメージを広げるには、情報力とか、想像力とか、感性とか、人間力とか、複合型のチカラが求められます。

- 先を読む――事実を組み合わせ、どう方向性を示すか。
- 全体を読む――部分（小さな兆し）から全体をどうイメージするか。
- 人を読む――個々の動きから人間の真実をどう見つけるか。
- 変化を読む――価値観、トレンドなど空気の流れを感じるか。

変化に興味を持ち、情報のアンテナを張りめぐらして初めて、見えなかったものが見えてくるのです。また、気づかなかったことにも気づくのです。変化に反応してこそ、新しい「発見」＝STEP3につなげることができます。

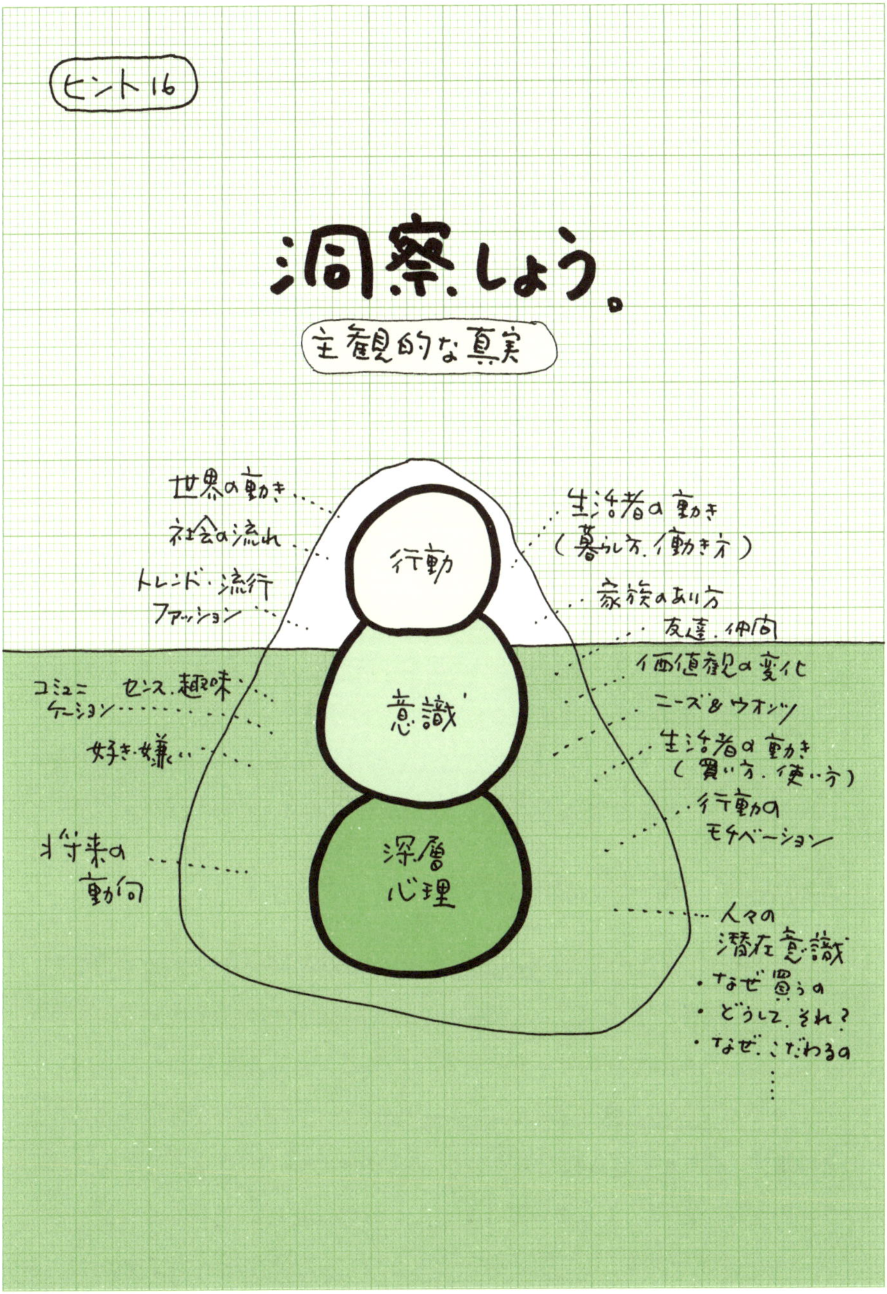
ヒント16
洞察しよう。
主観的な真実
世界の動き
社会の流れ
トレンド・流行
ファッション
生活者の動き
（暮らし方、働き方）
行動
家族のあり方
友達、仲間
価値観の変化
ニーズ&ウオンツ
生活者の動き
（買い方、使い方）
行動の
モチベーション
コミュニケーション
センス、趣味
好き・嫌い
意識
深層
心理
将来の
動向
人々の
潜在意識
・なぜ買うの
・どうして、それ？
・なぜ、こだわるの

2-(3) STEP 3「発見」(価値づくり)

STEP1と2の情報を机の上に置いて、ジーッと見る。情報をいろいろ組み合わせ、新しい関係を探すのが、STEP3です。①情報を集め②組み合わせ③寝かせ、発酵を待つ④そして閃き! 快感を手に入れた瞬間です。発見を生み出す方法とは、アイディアを生み出す方法と同じです。

アイディアは、「情報の組み合わせ」

拙著「オリジナルシンキング」(ディスカヴァー刊)の中で「アイデアのつくり方」(ジェームス・W・ヤング著)をご紹介しましたが、創造力と、情報の組み合わせ能力。情報の新しい関係づくりが最大のポイントです。ヒント17に、その切り口を書いてみました。「変だけどイケそうだ」「こことここをつなぐと変わりそう」「ひょっとすると動きそう」と思いつつ、組み合わせを変え、発酵を待ちます。そして閃き!

なるほど、こんな視点があったのか。いままでのモノが一瞬に色あせてしまうような、そんな発想が生まれた時の快感を手にしてください。

跳ぶ! 発想の飛躍は、1人の閃きから

いい知恵は、1人の閃きから生まれます。無関係と思われていたものの間に、新しい関係を発見する。自分の感性と想いを込めて変えていくのですから、独自性も生まれます。チームで攻めても、最後は芸術的な個人プレーでゴールを決めるサッカーのように。とんがったアイディアは個人から生まれます。周りから削られて丸くなることがないからです。いままでの習慣や、やり方を踏襲しても誰も驚きません。つねに新しい発見をプランニングに入れ続ける習慣こそ、独創的仕事人としての評価を得るのです。

ヒント17

「発見」（価値観を変える！）のために。

・視点を変える — 目線、角度、位置をズラす
（ex. プロユースをアマチュアに）

・切り口を変える — 異質、未知、他領域へ
（ex. 清涼飲料を医薬品に）

・意識を変える — 常識、習慣、ルールを破る
（ex. チョコは男のものだ）

・発想を変える — 考え方、姿勢そのものを変える
（ex. モノを売るのではなく、意味を売る）

・概念を変える — 昔からの価値観を創り変える
（ex. トマトとはリキュールのこと）

2-(3)「発見」

組み合わせのヒント

		ex. ▽ 事例より
1	「性の転換」— 男と女の逆転	▽44 男が食べるチョコ 江崎グリコ 「GABA」
2	異質な組み合わせ — 水と油も仲良く	▽11 老若男女のカジュアル ユニクロ
3	常識を壊す — 通念を変える	▽43 「甘いうまい」が「苦いダイエット」へ 明治製菓 「チョコレート効果」
4	未知な世界に入る — 未来探険	▽58 いのちを伝える動物園 旭山動物園
5	ユニークな発想 — 面白アイディア	▽45 こどもだって飲まなきゃ… 下町屋・友桝飲料 「こどもびいる」
6	気持の深掘り — 洞察・観察	▽35 隠すから見せる「大人の可愛い」 花王 「グレイスソフィーナ」
7	枠組ずらす — カテゴリーキラー	▽74 おはようマギーです（夕を朝に） ネッスル日本 「マギースープ」

8	立つ位置、変える — 世界が新鮮	▽8	プロユースを人々に NIKE
9	古さが新しさ — 原点がえり	▽22	ジャパン・ビューティ・アドバンス 資生堂 「TSUBAKI」
10	不の解消 — 不安・不便・不愉快	▽34	フィルター掃除のいらないエアコン 松下電器 「エアコンXシリーズ」
11	新しいミックス — ごちゃ混ぜ	▽30	オフィスデリバリーサービス業 アスクル
12	兆しの拡大 — わがまま対応	▽29	わがまま運びます ヤマト運輸 「宅急便」
13	超えたサービス — 感動を売る	▽4	もう一つのわが家 リッツ・カールトンホテル
14	時代の先取り — ウオンツ発想	▽27	パスポートサイズ ソニー 「ハンディカム」
15	新しい「快」 — 暮らしの提案	▽31	俺の時間 京王プラザホテル

2-(4) STEP4「言葉化」

新しい「概念」は、新しい「言葉」から生まれる

相手の立場で発想し、考えることで、新しい発見が生まれます。この閃いたイメージを言葉にして初めて、コンセプトと言います。言い換えると、「コンセプトとは、新しい視点を持った言葉」です。情報と情報を組み合わせ、創り手の想いをギューッと濃縮して、「ひと言」でイメージさせられるキーワードを創る。けっこうエネルギーのいるパートです。

言葉がこなれていない。生のまま。また、ある一部分しか指していない。時には企画書のタイトルのように……。事例を読むポイントとして、「言葉化」を大事にしたのも、戦略の展開のキーとなるからです。(ヒント18)で2、3の言葉化のヒントを書いてみました。事例のキーワードを読みながら、コツをつかんでください。

「コンセプトは前例がない ゴールイメージが描けない」

他がやっていない新しい方向に向かうのですから、言葉化は不可欠です。それは「何をしたいのか」「どう変わりたいのか」「どこに向かうのか」の意志を明解にして、社内・外の人々を巻き込んでいきます。ウォルト・ディズニーはあるレストランのコンセプトに、「5セントのハンバーガーを500万ドルの御殿で食べられるようにしたい」と掲げました。

何をしたいのか、どうしたいのか、仕事の意味が見えてきます。これが「コンセプト」の力です。社員にとっても、全体のイメージが描け、何をすればいいのか見えてきます。しかも、夢のある魅力的な仕事としてイメージできます。やはり、ここは事例から感じとっていただくしかないようです。

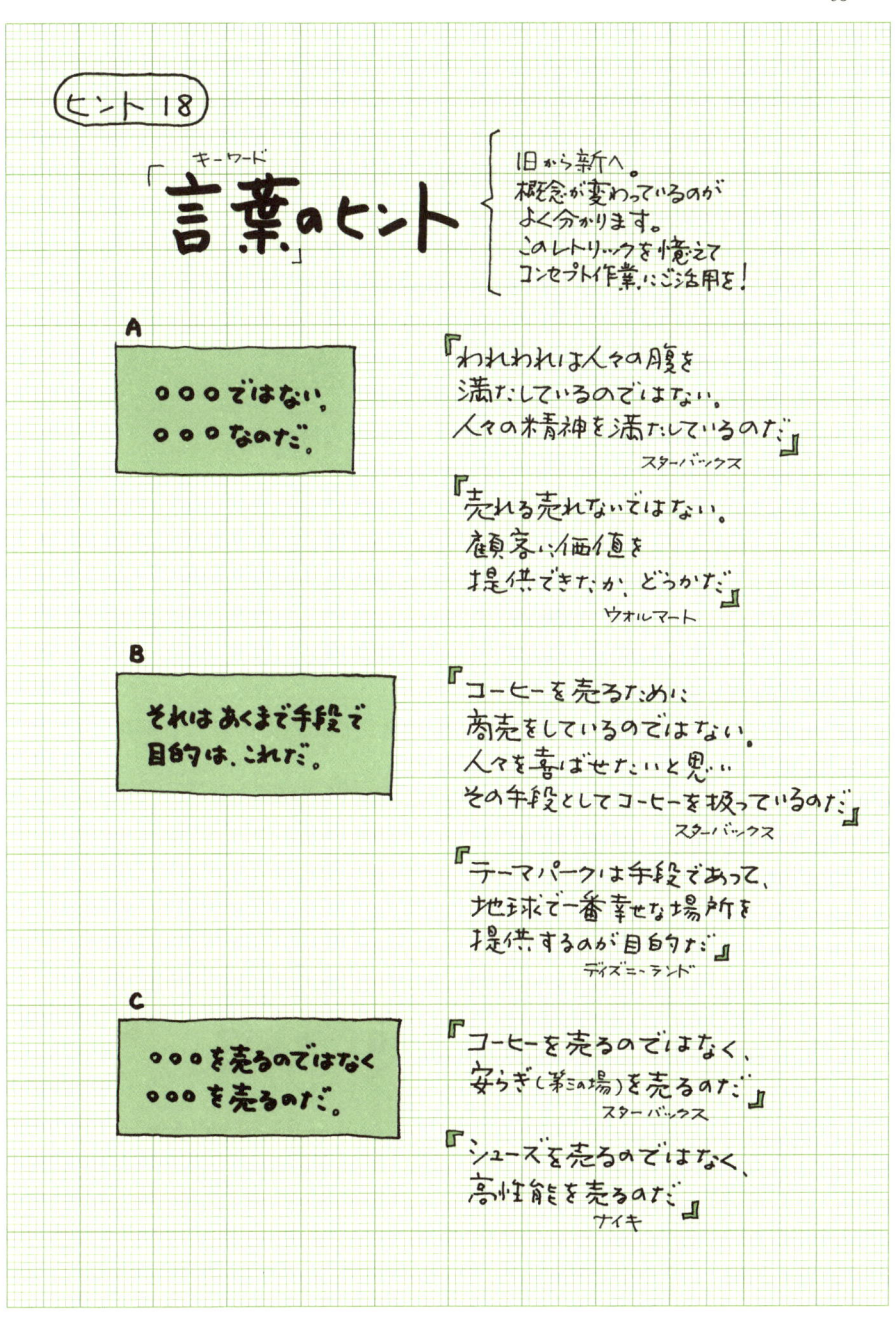

ヒント 18

「言葉《キーワード》のヒント」

旧から新へ。
概念が変わっているのがよく分かります。
このレトリックを憶えてコンセプト作業にご活用を！

A

○○○ではない。
○○○なのだ。

『われわれは人々の腹を
満たしているのではない。
人々の精神を満たしているのだ』
スターバックス

『売れる売れないではない。
顧客に価値を
提供できたか、どうかだ』
ウォルマート

B

それはあくまで手段で
目的は、これだ。

『コーヒーを売るために
商売をしているのではない。
人々を喜ばせたいと思い
その手段としてコーヒーを扱っているのだ』
スターバックス

『テーマパークは手段であって、
地球で一番幸せな場所を
提供するのが目的だ』
ディズニーランド

C

○○○を売るのではなく
○○○を売るのだ。

『コーヒーを売るのではなく、
安らぎ（第三の場）を売るのだ』
スターバックス

『シューズを売るのではなく、
高性能を売るのだ』
ナイキ

3 いい「コンセプト」は、イメージを拡げやすい

STEP1～4で、言葉化までの概略とフローをお話ししてきました。しかし、これはあくまでも、企画の核づくりであり、行動の核づくりです。ビジネスの世界では、これがスタート。すべてはここからどう戦略につなげ、成果をあげるか、にかかっています。いいコンセプトは、周りを巻き込み、人を動かす、イメージと戦略性に満ちているものです。

事例86のキーワードの裏に、「見事な戦略」

すべての事例に、そこから先の見事な展開がありました。だから成功し、いまも残り、多くの人に語り継がれていくのでしょう。（ヒント19）を参考に360度の展開をイメージしてみてください。すべてがコンセプトに向かっているのです。

言葉が先か、戦略が先かという問題ではなく、まず全体のイメージありき、ということが分かるでしょう。どうしたいのかという世界観（イメージ）があり、それを実現するためにはどんな戦略（要素）が必要なのか。それを全員がブレなく共有化するためには、どんな組み立てと言葉が必要なのか、という順序で進めていったのでしょう。とにかく揺るぎないコンセプトのもとで、次々に展開していく様子が実績をとおして伝わってきます。

いいコンセプトは、次々に発想が広がる

ユニークな主張ある「発見」と、魅力的な「キーワード」があれば、その後の戦略化はとても楽しいものです。次々にイメージが湧き、戦術が浮かび、嬉しくなります。気に入った事例のキーワードをもとに、自分ならどう展開するか。感じてみるのも面白いものです。

ヒント19

ディズニーランドは、

360度、愛されるようにできている。

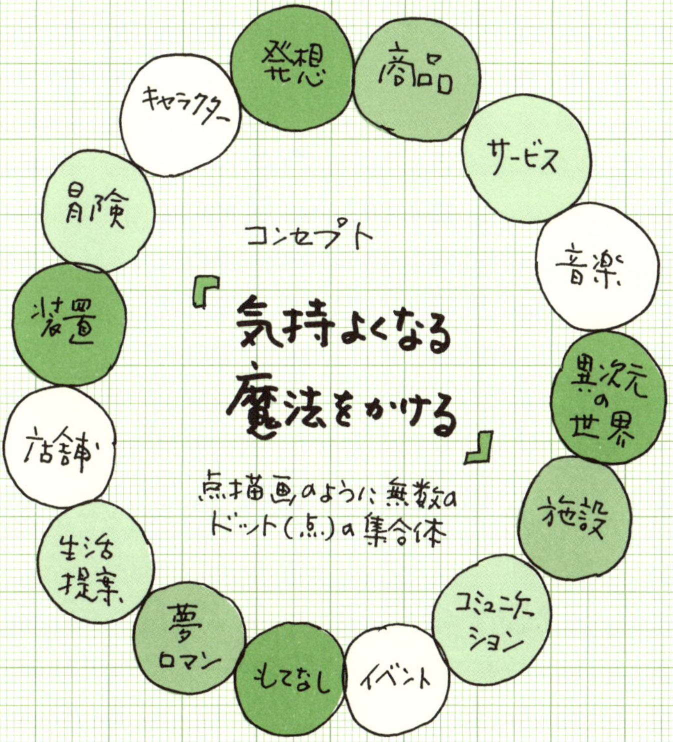
発想
商品
サービス
音楽
異次元の世界
施設
コミュニケーション
イベント
もてなし
夢ロマン
生活提案
店舗
装置
冒険
キャラクター
コンセプト
『気持よくなる魔法をかける』
点描画のように無数のドット（点）の集合体

4 いい「コンセプト」には、7つのパワーがある

86の事例を読んでいくと、いいコンセプトには以下の「7つのパワー」を感じます。簡単にまとめてみますと……

①そこに革新性がある

社会に向けての新しい提案性があり、しっかりとした意志がある。見事に概念を変えている。

②そこに戦略性がある

その先に続く展開を前提にイメージされ、アイディアがある。社内・外を動かすトータルの設計が読める。

③そこに共感性がある

将来へのきちんとした絵が描かれ、感動、喜び、快適さ、幸せなど、人々の気持ちの中に入っている。

④そこに個性がある

競合との差別化を意識し、個性化がはっきりした新鮮なもの。それが世の中の求心力となっている。

⑤そこに統合性がある

企業の生き方、戦い方などアイデンティティを象徴する一貫性が感じられる。それを企業ブランドへつなげている。

⑥そこに持続性がある

次々に展開し、持続するイメージを持ち、将来につながる発展性が感じられる。

⑦そこに創り手の熱い想いがある

人々のために、こういうものを創りたい。渡したい。伝えたい。残したい。想い・こだわりが伝わってくる。

ヒント20

「コンセプトメイキング」のためのチェックポイント

①時代の求めに合っていますか
②主張（志）がはっきりでていますか
③それは今までと違う新しい価値観ですか
④激しい変化に対応していますか
⑤生活の新しい提案になっていますか
⑥喜びや感動の伴うものですか
⑦イメージアップにつながっていきますか
⑧他との差別化ができていますか
⑨戦略的に組み立てていますか
⑩長く展開が可能ですか
⑪社内の共有化がしやすくなっていますか
⑫世の中が評価し尊敬されるものですか

PART V

「コンセプト」を最大のスキルに

1「コンセプトメイキング」。それは「へそ」づくり

「へそ」がないぞ！

書いたコピーに赤が入って上司から返ってきた。赤の太いマーカーで、「へそがないぞ」とひと言。制作現場にいたころはよく書かれたものです。要するに、表現の核となるアイディアがない、ということ。美しく言葉を連ねても、表現全体のコンセプトがない、新しい視点やユニークな主張のない広告に、新鮮な驚きや感動は生まれないからです。私はこうして、「考える」すべての作業の中に、「へそ」を創ることを教わりました。

考える・創るのまん中に「へそ」

あえて「へそ」と言っていますが、要するに「コンセプト」のこと。モノゴトのまん中にコンセプトは不可欠です。ましてや、この変化の時代、価値観が揺れ動く中で、核となるコンセプトなしでは乗りきれません。「コンセプト」が航海における羅針盤や、背骨にたとえられるのも、うなずけます。

私からの提案。毎日「へそ」見て考えよう

子どもじみているようですが、習慣化しましょう。
朝起きて「へそ」を見る。そして2つのことを考える。
① 自分の「へそ」は何か（自分の売りもの）
② いまやっている仕事に「へそ」はあるのか

毎日、「コンセプトがあるか」の確認です。新しい視点、ユニークな主張、創造的提案があるのか。暮らしの中で、ビジネスの中で「あっ! それは新しい」と感じられるコンセプトを持って、存在感を示し続けたいものです。

ヒント21

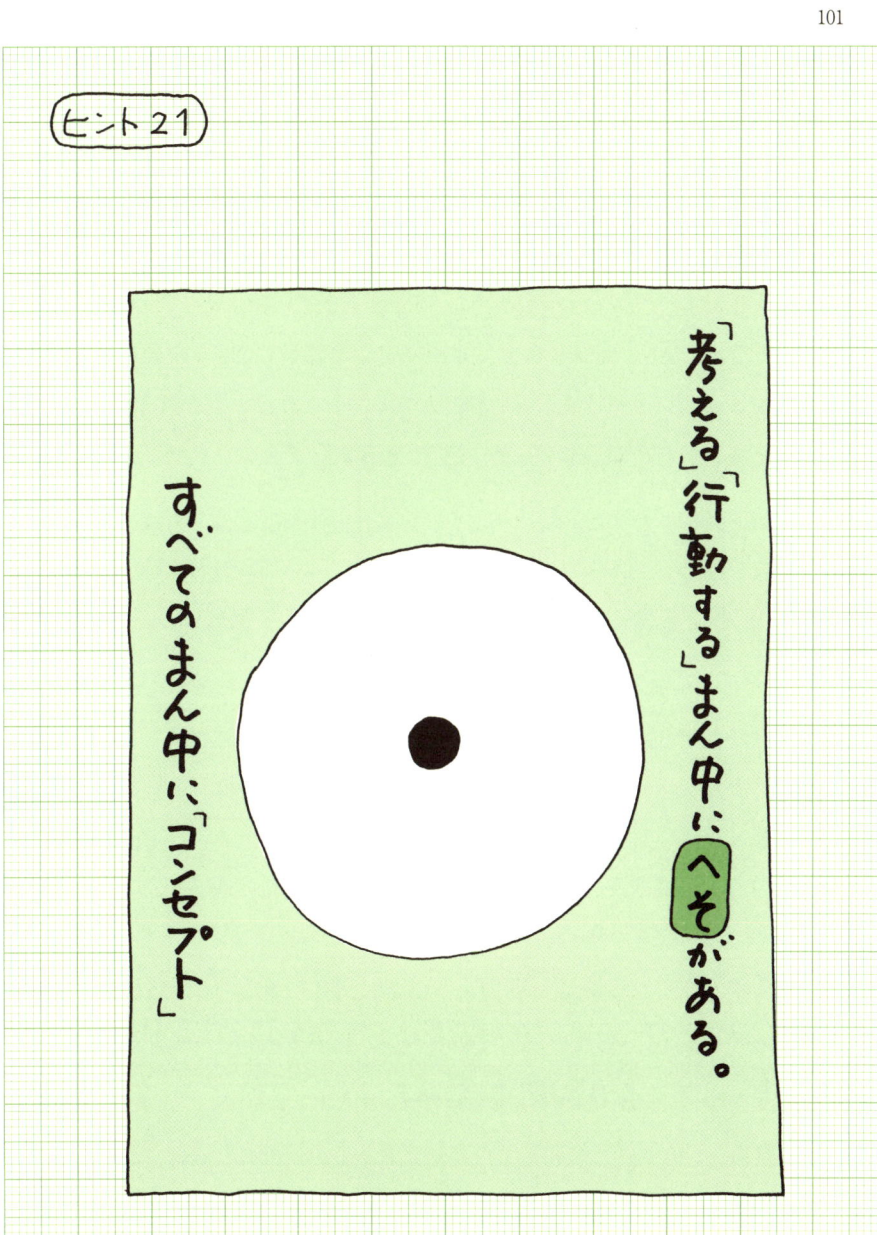

「考える」「行動する」まん中にへそがある。

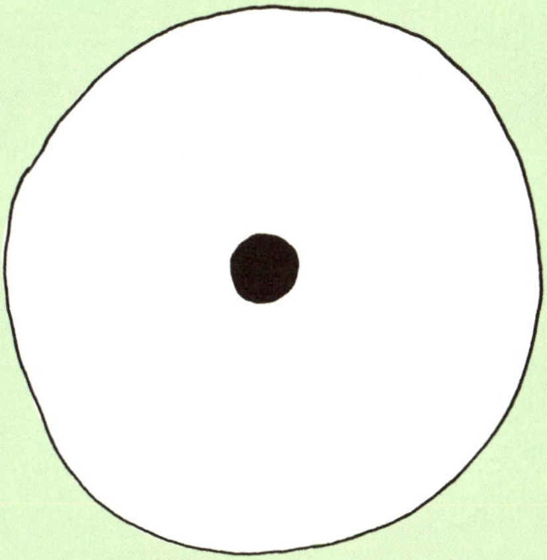

すべてのまん中に「コンセプト」

2 いいコンセプトメーカーになるために

残念ながら、こうすれば必ずいいコンセプトが出る、という法則はありません。しかし、① ある程度の原理・原則を身につけること。と、②「いいコンセプトとは…」のゴールイメージ（事例）を持つこと。そして ③ コンセプトメイキングをくり返すことで、身体の中に変化が起き、しだいにスーッとゴールに近づいていけます。不思議なことに手ごたえが生まれます。

「いけそう！」「来たな！」「当りそうだ！」

と、感覚的にピピーッとくるものです。やはり、考えて考えて考えつくすことと場数を踏むことから、いいコンセプトは向こうから近づいてきます。

情報全部飲み込んで、身体をとおして語る

現場ではこんな習慣づけをされました。情報をいろいろな角度から大量に集め、ひたすら読み、それを一度全部身体の中に飲み込む。そこで情報を捨て（手元から離し）、身体をとおして自分の言葉で語る。資料を横に置いてコピーを書くことは許されませんでした。すべてを噛み砕き、自分の体から自分らしい主張を加えて、発信するのです。情報、資料をたくさん読み込めば、全体にどう動いて、どうしたいのかぐらいは見えてきます。ただし1点だけ――それを凝縮し魅力ある言葉に置き換えるのに、感性が問われます。コンセプトメイキングの完成度はここにポイントがあります。

ピピーッとくる時間を早めたい…。

「暗黙知」という形式化しにくいコンセプトを、どう効果的にメイキングできるのか。私の「経験知」からの答え…… ① 原理を知ること ② いい事例を知ること ③ 図解でイメージとして憶えておくこと ④ ひたすら考えること。さらに ヒント22 の姿勢が欠かせません。

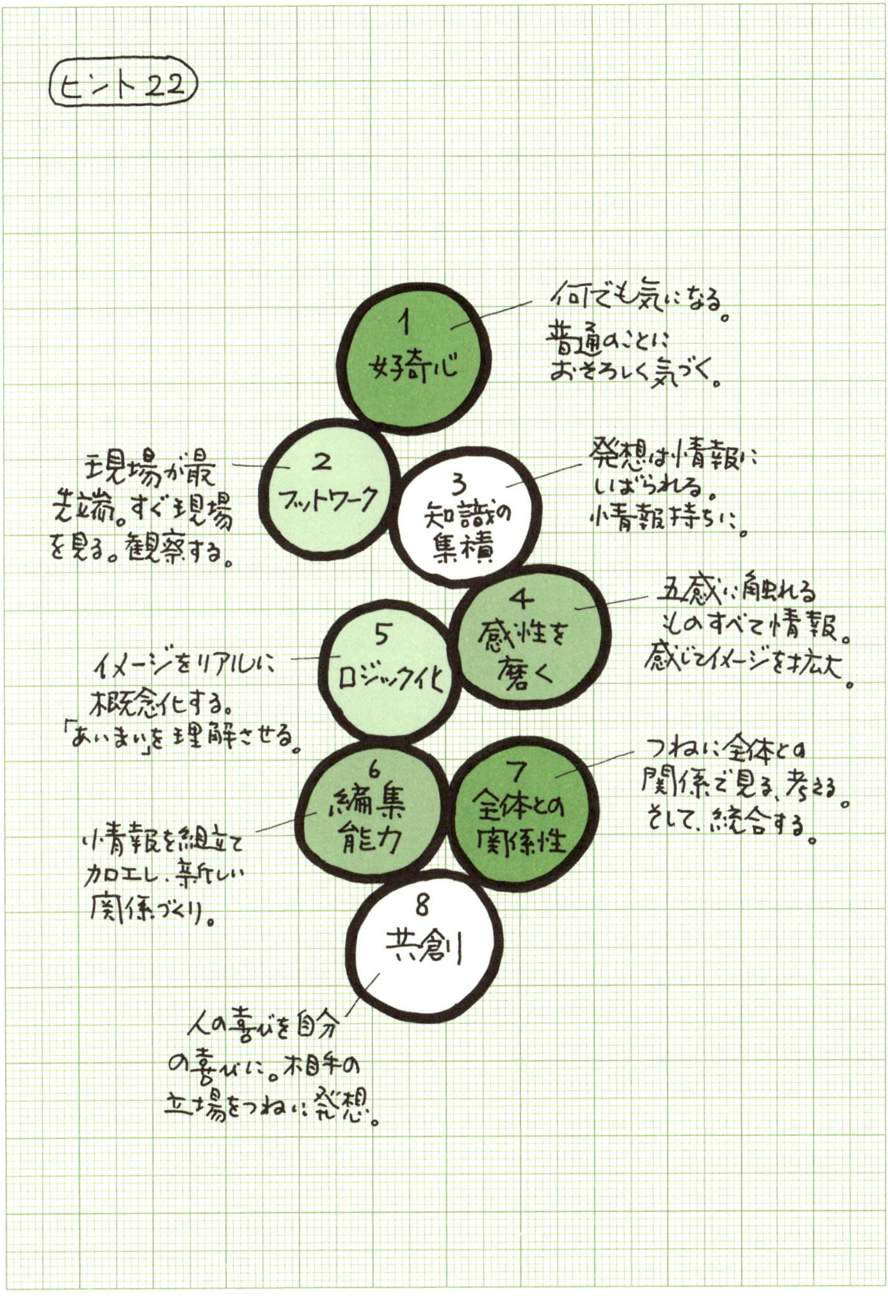
ヒント22
1 好奇心
何でも気になる。普通のことにおそろしく気づく。
2 フットワーク
現場が最先端。すぐ現場を見る。観察する。
3 知識の集積
発想は情報にしばられる。情報持ちに。
4 感性を磨く
五感に触れるものすべて情報。感じてイメージを拡大。
5 ロジック化
イメージをリアルに概念化する。「あいまい」を理解させる。
6 編集能力
情報を組立て加工し、新しい関係づくり。
7 全体との関係性
つねに全体との関係で見る、考える。そして、統合する。
8 共創
人の喜びを自分の喜びに。相手の立場をつねに発想。

3「コンセプトメイキング」は人間学

前著「オリジナルワーキング」で書いた「広告人の前に社会人」という話ですが、実はこれは広告人ということだけでなく、すべてのビジネスマンに言い続けています。職業人の前に、1人の社会人としての常識、価値観を持たずして、モノゴトを考えたり創ったりすることはできないからです。

コンセプトに求められる個人の視点

「コンセプトの創り方」のSTEP1、STEP2で情報を収集し、ターゲット（相手）の中に入り込み、一緒に喜んでもらえる知恵を、提案を、主張をするのがコンセプト。現場の理屈とか、習慣とか、ハウツーとか、狭い視野でやっているかぎり、すぐ壁に突き当たります。当然、独自性なんて生まれません。相手との関わりの中から生まれてくるものです。

コンセプトメイキングは人間学だ、という意識をぜひ持ってください。創造とは情報の組み合わせ。情報の広さと深さが求められます。そして、生活する人間としての個人の考え方が、個人の視点が問われているのです。

「それは、オリジナルですか」

コンセプトは、新しい視点を持った言葉ですから、オリジナルでなければいけません。オンリーワンの考え方です。となると、個人の閃きがすべてです。団体で、集団で創るものではありません。カドが取れ、丸くなっていくのがオチですから…。「コンセプトメイキング」は自分を表現すること。それは人間の個人性と社会性につきると思っています。（ヒント23）

『やはり職業人の前に社会人なのです。』

ヒント23

コンセプトは、自分の持っている
情報にしばられる。

手持ちの情報の組み合わせ
でしか、発想できない。

「どう言うか」ではなく「何を言うか」
自分が何をやりたいのかを問われる。

「発想する」とか「考える」とは
自分を表現すること。

自分の言葉でしゃべるからオリジナル。

「コンセプトメイキング」は、人間の
個人性と社会性につきる。

**自分を発酵させないかぎり
感動させるものは生まれない。**

4 最後に。自分の「コンセプト」とは

「コンセプトの創り方」に合わせて、自分のコンセプトメイキングをしてみてはいかがですか。自分のコンセプトとは、結果「自分ブランド」を創ることと同じである、と私は考えています。

ヒント24に簡単な図解を書きましたが、その接点からあなた自身の、世の中に対する約束を書いてみてください（つまり、将来的に自分の確固たる売りものにしたい…というビジョンです）。

- この時代の中で、自分の生き方、戦い方の核をしっかり創っておこう。
- そして、「あなたがいないと困る」と言わせる存在感を創っておこう。

そのために、「自分」と「世の中」との関わりの中で…

①自分の価値観とは、自分の売りものとは何か。
②自分の「考え」の、「行動」の拠りどころは何か。
③ユニークな主張、新しい提案とは何か。
④周りの人に新しい驚きや喜びを与えるものは何か。
⑤他の人との差別化をできるものは何か。
⑥それをきちんと言葉化し、実行へつなげているのか。

いま、「個」が求められる幸せな時代

個人中心社会化が進む中で、個の力が多く求められています。多様な価値観に対応するには、個人のスキルがキラキラと輝いていることが条件です。そのためにも1人1人が自分のコンセプトを確立し、自立心を持つこと…目標のある幸せ、目標のない不幸せ、と言われる時代なのですから。

ヒント24

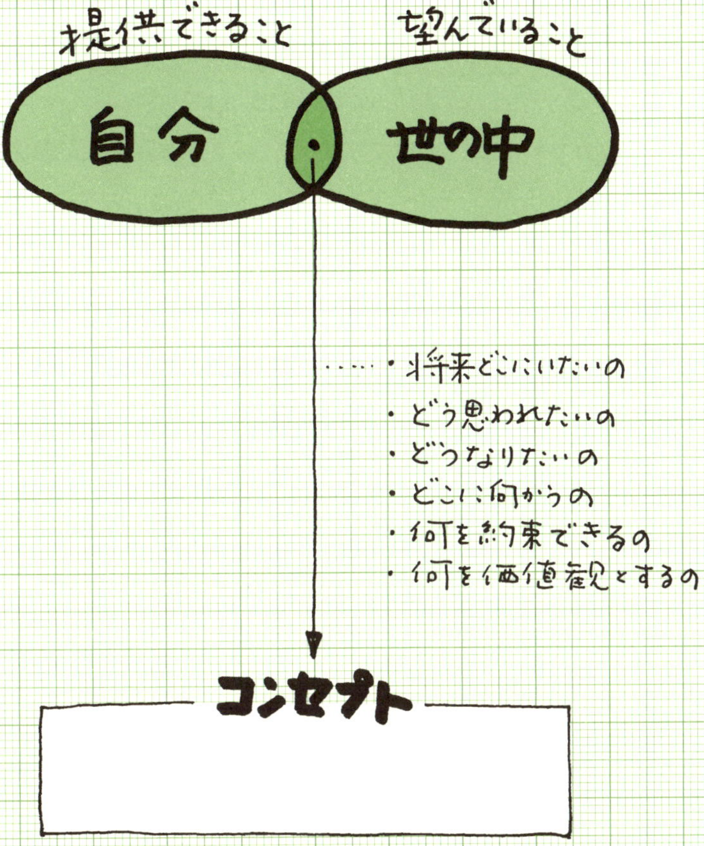
提供できること
望んでいること
自分
世の中
・将来どこにいたいの
・どう思われたいの
・どうなりたいの
・どこに向かうの
・何を約束できるの
・何を価値観とするの
コンセプト

あとがき

毎日の仕事の中でコンセプトメイキングする機会の多いことには驚かされます。それは、人も、企業も、個性的に生きるために、「人と違うことを考え、人と違うものを創ること」を求められているからなのでしょう。ただ考えたり創ったりすることを、流れの中で当たり前のように作業していると、「コンセプトメイキング」という意識は生まれません。

ここで、あらためて「コンセプトメイキング」する習慣化をおすすめします。「コンセプトを創る」という姿勢で毎日を迎えると、突然楽しくなってきます。そして、いつのまにか持続し、自分の資産化につながっていきます。

- 毎日の「考える・創る」のまん中に、かならずコンセプトがある。
- それは新しくてユニークで提案性がある。
- 世の中を意識するから、とても刺激的。
- クリエイティブ発想を求められるから、自分が出せる。
- つねに情報をストックするため、好奇心旺盛でいる。
- 考えて言葉化して、相手の期待を超える楽しみがある。
- 世に出て周りを変えていく、実感そして快感を味わえる。
- つねに視野を拡げているから発想が若い。
- コンセプトメイキングを身につけると、生活のすべてに活きる。

＜コンセプトメイキングすることを楽しむ人生が一番だ＞

高橋宣行

参考文献

「心に届く話し方」川崎洋　ちくま文庫
「『芸術力』の磨きかた」林望　PHP新書
「ドラッカー」ジャック・ビーティ　ダイヤモンド社
「スターバックス成功物語」ハワード・シュルツ　日経BP社
「ディズニーリゾートの経済学」粟田房穂　東洋経済新報社
「フォルクスワーゲンの広告キャンペーン」西尾忠久　美術出版社
「創造と環境」西尾忠久　誠文堂新光社
「広告表現の科学」八巻俊雄、天津日呂美　日経広告研究所
「広告頭脳」服部清　河出書房新書
「現代広告の読み方」佐野山寛太　文藝春秋
「ブランド」石井淳蔵　岩波新書
「アイデアのつくり方」ジェームズ・W・ヤング　阪急コミュニケーションズ
「時代を映したキャッチフレーズ事典」深川英雄、相沢秀一、伊藤徳三　電通
「運を拓くマーケティング」鳥井道夫　新潮OH!文庫
「ひらがな思考術」関沢英彦　ポプラ社

参考資料

「事例」作成にあたり数々のメディアの記事中、パブリシティなどから活用させていただきました。
その上、構成のため事実を曲げない範囲で、一部分の抜粋、またはアレンジをすすめてきました。
各企業のみなさまにはご理解のほどよろしくお願い申し上げます。

日本経済新聞、朝日新聞、産経新聞、日経MJ、日経トレンディ、宣伝会議、広告批評、
テレビ東京（ワールドビジネスサテライト）、博報堂資料他

高《たか》橋《はし》宣《のぶ》行《ゆき》
1968年博報堂入社。
制作コピーライター、制作ディレクター、制作部長を経て、MD計画室へ。
制作グループならびにマーケットデザインユニットの統括の任にあたる。
2000年より、関連会社役員等を経て、現在、フリープランナー。
各企業のプランニングならびにアドバイザー、研修講師を務める。
［著書］「オリジナルシンキング」「オリジナルワーキング」（共にディスカヴァー刊）

コンセプトメイキング

発行日　2007年11月15日　第1刷

Author　高橋宣行

Publication　株式会社ディスカヴァー・トゥエンティワン
〒102-0075　東京都千代田区三番町8-1
TEL. 03-3237-8321（代表）　FAX 03-3237-8323
http://www.d21.co.jp

Publisher　干場弓子
Editor　石橋和佳
Proofreader　文字工房燦光

Promotion Group
Staff　小田孝文　中澤泰宏　片平美恵子　井筒 浩　千葉潤子　早川悦代　飯田智樹
佐藤昌幸　横山勇　鈴木隆弘　大薗奈穂子　山中麻吏
吉井千晴　山本祥子　空閑なつか
Assistant Staff　俵 敬子　町田加奈子　丸山香織　小林里美　冨田久美子　井澤徳子　古後利佳
藤井多穂子　片瀬真由美　藤井かおり　三上尚美　福岡理恵　長谷川希　島野光世

Operation Group
Staff　吉澤道子　小嶋正美　小関勝則
Assistant Staff　竹内恵子　畑山祐子　熊谷芳美　荒井薫　清水有基栄　鈴木一美　田中由仁子　榛葉菜美

Creative Group
Staff　藤田浩芳　千葉正幸　原典宏　橋詰悠子　三谷祐一　大山聡子
田中亜紀　谷口奈緒美　大竹朝子

Printing　日経印刷株式会社

ISBN 978-4-88759-590-3　©Nobuyuki Takahashi 2007, Printed in Japan.

クリエイティブ必読！

〝時代を創る〟最強のテキスト
第1弾&第2弾

「コンセプトメイキング」の
読者におすすめ！

元博報堂制作部長が明かす、21世紀の「アイデアのつくり方」。
人とは違うことを考えるためのヒントを
わかりやすい図解でご紹介します。

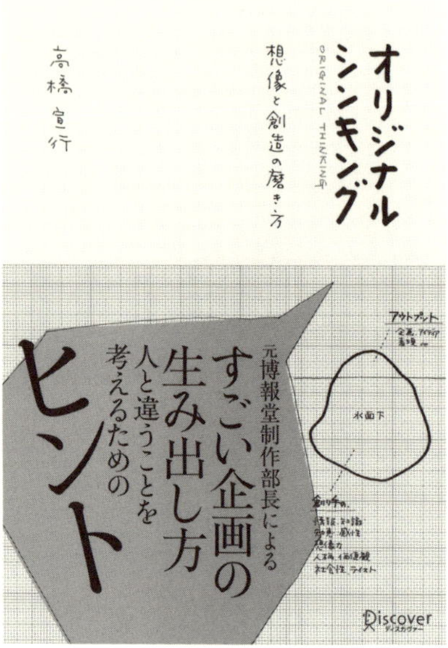

「オリジナルシンキング」高橋宣行 著
本体価格1360円　2006年11月刊
ISBN 978-4-88759-505-7

元博報堂制作部長による、すごい結果を出すためのヒント。
企画を実現するために、何が必要か。
独創的な「仕事術」をご紹介します。

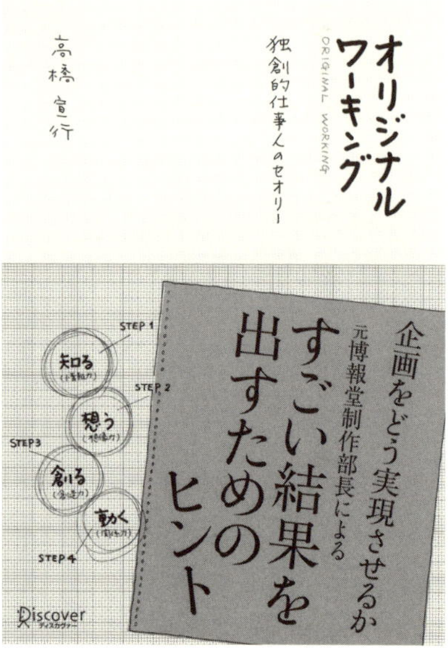

「オリジナルワーキング」高橋宣行 著
本体価格1400円　2007年3月刊
ISBN 978-4-88759-535-4

表示の価格は本体価格で、これに消費税が加算されます。

書店にない場合は小社サイト（http://www.d21.co.jp/）やオンライン書店（アマゾン、ブックサービス、bk1）へどうぞ。

お電話（03・3237・8321（代））や愛読者カードでもご注文になれます。